I Narratori / Feltrinelli

PINO CACUCCI
NAHUI

Feltrinelli

© Giangiacomo Feltrinelli Editore Milano
Prima edizione ne "I Narratori" ottobre 2005

ISBN 88-07-01686-9

1.

1961

Cammina a passi lenti lungo l'avenida Madero, lo sguardo smarrito nel cielo e il portamento altero, quasi sfidasse la curiosità dei passanti e le risate dei ragazzini che la indicano irriverenti. L'aria svagata, la noncuranza che si impone per difesa, contrastano con la fierezza dell'incedere e la bizzarra ricercatezza del vestire: il vezzo del fiore infilato nella scollatura generosa, i capelli costretti a furia di sforbiciate a seguire una moda dimenticata, ogni dettaglio del suo aspetto la rende ancor più grottesca agli occhi degli sconosciuti che notano i colori sgargianti, la povertà delle stoffe, il taglio antiquato e la consunzione che sta per ridurre i suoi vestiti in stracci. L'ingiuria del tempo ha reso pesante quel corpo adorato da tanti, ha avvizzito il volto immortalato da artisti e cantato da poeti. Nessuno la riconoscerebbe più sugli affreschi di Diego Rivera poco lontani da lì.

Eppure, malgrado tutto, i suoi occhi sono ancora in grado di ammaliare chiunque incontri il suo sguardo: occhi grandi, smisurati, spalancati sulla realtà senza più coglierla, occhi di un verde smeraldo che virano al turchese e al viola... E non si limitano a riflettere i raggi del sole, bensì li catturano e li fanno propri, brillando ancor più nelle zone d'ombra che lei attraversa, imboccando il vicolo che conduce in avenida 5 de Mayo. "*Malgré tout*," mormora la donna dall'età indefinibile. Intanto un bambino cencioso le grida: "*Pinche vieja bruja!*", e subito un compagno di sventure quotidiane raccoglie un sasso per tirarglielo dietro. La "vecchia strega" sorride. Sorride di amarezza e rimpianto, non si sente offesa da quelle parole né dal sasso, comunque scagliato senza forza e rotolato alle sue spalle. Sorride di commiserazione, per ciò che fu e non per ciò che è adesso, per ciò che fece, per l'irreparabile colpa. E pensa: "Piccole carogne, voi siete puro istinto e intuite cosa ero... Io ho ucciso il mio bambino. L'ho ucciso dopo averlo allattato con questi seni, dopo averlo cullato in questo grembo. Ma in un'altra vita. Ora... ora sono energia nel cosmo".

Il tempo l'ha condannata a sopravvivere allo splendore che fu.

Questo pensa, camminando verso il candido Palacio de Bellas Artes, lei che è stata la più bella di Città del Messico all'epoca in cui qui c'erano le donne più affascinanti del mondo. Giunta nel piazzale, le spalle ai marmi di Carrara del maestoso edificio liberty, estrae dalla borsa un fascio di vecchie fotografie color seppia e come ogni pomeriggio, da anni, le mostra ai visitatori che escono dal palazzo delle esposizioni dicendo a bassa voce, senza vergogna e senza ostentazione: "*Baratas, las vendo muy baratas*"... Il prezzo è in effetti ridicolo, se solo quegli ignari turisti sapessero cosa e *chi* hanno davanti. Qualcuno come sempre si ferma a guardarle, attratto dalla nudità di quel corpo flessuoso, felino, inarcato in pose plastiche, abbandonato con voluttà sulla sabbia dell'oceano, mostrato con orgoglio contro una parete.

Poi, racimolato qualche pesos, la donna si siede sulla solita panchina nei giardini dell'Alameda e mentre i gatti le si strofinano sulle gambe, riconoscendola e aspettando il cibo quotidiano, fissa il sole.

Il poeta l'ha notata fin dal suo arrivo nel piazzale. L'ha osservata da lontano, incuriosito da quell'abito che sembra quasi un costume di scena, un salto indietro di decenni. Ora è inquieto. Non si capacita di come possa restare a occhi

8

spalancati contro il sole, a fissare intensamente la luce che la sta accecando. Rompe gli indugi e si avvicina. I gatti lo squadrano sospettosi, si rifugiano sotto la panchina, qualcuno scappa e poi si volta a scrutare l'intruso.

"Signora... Non vorrei essere inopportuno, però... guardi che le fa male, mi creda."

Lei rimane impassibile.

"Signora, la prego: non è mia abitudine molestare il prossimo, ma nessuno può fissare il sole così a lungo senza danni."

"Io sì."

E con lentezza da gatta intorpidita la donna si volta a guardare lo sconosciuto: per un istante ha riacquistato la malia d'un tempo remoto. Il poeta resta impietrito. Lei lo sta *vedendo*, non c'è dubbio. Il sole non l'ha abbagliata come pensava, *malgré tout*, lei lo sta vedendo.

"Che c'è, giovanotto? Hai visto un fantasma?"

Quest'ultima frase sembra scuotere il poeta dal suo incantesimo: ricorda che alcuni amici gli hanno parlato di una vecchia prostituta che la notte pare si aggiri intorno al palazzo delle poste, tra Bellas Artes e 5 de Mayo, e che la gente della zona ha soprannominato "El Fantasma del Correo".

"Scusi l'ardire, signora... è lei quella che chiamano El Fantasma del Correo?"

La donna gli rivolge un sorriso sprezzante.

"Cosa ti fa pensare che io sia una vecchia puttana a caccia di ubriachi? Mi hai guardata bene?"

Il poeta è confuso, fa segno di no con la testa e si sforza di sorridere, imbarazzato.

"So chi è, quella poveraccia," aggiunge lei senza dargli il tempo di trovare parole di circostanza. "Io, giovanotto, non ho mai venduto il mio corpo. L'ho donato a chi se lo è meritato e anche a chi non se lo meritava, ma venduto *jamais*. Capito? *Nunca jamás!*"

Il poeta abbassa lo sguardo. E soltanto adesso si accorge delle foto che la donna tiene in mano e che mentre parlava

9

ha sventolato con un gesto aggressivo. Vede quel corpo nudo, bellissimo, che emana energia, di un erotismo e una sensualità che non aveva mai avvertito in nessun'altra immagine del genere.

La donna gli porge le vecchie fotografie ingiallite.

"Ti interessano? *À bon marché, muy baratas,* te le do per pochi pesos. Scegli quale preferisci."

Il poeta le sfoglia. A un certo punto ne volta una e scorge una scritta a mano, calligrafia d'altri tempi, tratti d'inchiostro delicati e nitidi: *Antonio Garduño. 1927.*

E poi legge e rilegge il nome, il nome di lei, della donna che ha posato nuda per il celebre Garduño, la donna che infiammò la Città del Messico degli anni venti, anni leggendari e irripetibili, quando lei, voluttuosa, eccessiva, sfrontata, scandalosa, spregiudicata, aveva segnato un'epoca divenendone musa e protagonista.

Il poeta prova un senso di vertigine: non è possibile, continua a ripetersi.

"Mi perdoni, signora, dove le ha prese?"

"Ne ho un baule pieno."

"Sì, ma intendevo dire, come ha fatto ad averle?"

La donna corruga la fronte, lo fissa a lungo. Il senso di vertigine aumenta: la stessa luce, la stessa grandezza smisurata, e malgrado il bianco e nero virato seppia si intuisce che il colore doveva essere questo, il verde smeraldo cangiante e le impercettibili sfumature turchese e viola... Sono i suoi occhi.

"Nahui Olín."

Il movimento è aggraziato, solo un accenno di sfida. Il capo leggermente indietro, gli occhi socchiusi per accentuare lo scintillio della fierezza e le labbra, ancora carnose, ancora sensuali – *malgré tout* –, che si piegano in una curva amara. Quante volte il poeta ha osservato quella bocca nella memorabile fotografia di Edward Weston, il ritratto di

Nahui che l'autore stesso definì "il migliore che abbia mai fatto in Messico"...

Mi sono lasciata ritrarre nuda perché avevo un corpo così bello che non avrei mai potuto negare all'umanità il diritto di contemplare quest'opera.

È il ricordo di una frase letta in un libro di Nahui Olín, o l'ha appena pronunciata l'anziana signora che siede sulla panchina?

La donna ha ripreso a fissare il sole.

Il poeta fissa lei.

Sì, è possibile, pensa, forse è davvero Nahui, e intanto trascorrono i secondi e i minuti, e gli occhi di lei non si staccano dalla sfera di fuoco che declina all'orizzonte, dietro gli alti edifici che si stagliano sul Paseo de la Reforma, al di là degli alberi dell'Alameda, oltre l'Hemiciclo Benito Juárez. Il poeta torna in sé:

"I suoi occhi sono stupendi. Perché lo fa?".

La mano si agita piano, facendogli segno di non interferire, di non preoccuparsi.

Quando il sole è ormai tramontato, la donna tira un profondo sospiro. Poi è scossa da un fremito, si alza con un gesto d'improvvisa energia che le strappa un gemito soffocato e dice a bassa voce:

"Ogni giorno aiuto il sole a nascere. E poi a morire. Ora possiamo andare".

E si incammina. Il poeta la segue.

A un certo punto lei lo prende sottobraccio e lui cerca di adattare il proprio passo al suo, lento e leggero, sorpreso dall'eleganza dei movimenti di quel corpo appesantito. Poi, notando un'ombra di indecisione sul volto della donna, si affretta a presentarsi:

"Mi chiamo Homero, *para servirle, señora*".

"E cosa fai per vivere, *mon cher* Homero?"

"Per vivere, ben poco. Per sentirmi vivo, scrivo poesie."

"Ah. Un poeta. Be', hai un nome che *c'est toute une pré-*

destination, Homero. Che ne dici di accompagnarmi a casa, da bravo gentiluomo quale sicuramente sei?"

"Onorato, signora. Ma lei non mi conosce neppure."

"Homero, io ti conosco perché ti ho guardato negli occhi. *Allons donc*, che il mio lavoro qui è finito."

Attraversando i giardini dell'Alameda passano accanto a una statua che raffigura una fanciulla nuda ripiegata su se stessa. Nahui la indica con un cenno del mento:

"Sai come si chiama? *Malgré tout*. Perché l'artista l'ha modellata con l'unico braccio che gli era rimasto e, *malgré tout*, l'ha fatta così bella. Io lo conoscevo".

Camminano a lungo, in silenzio, finché lei dice, guardando verso l'infinito:

"Tacubaya non è troppo lontana. Ho ancora buone gambe, come vedi".

Nella mente del poeta scorrono le immagini delle gambe nude che ha visto sulle vecchie fotografie: cosce sode, tornite, muscolose, polpacci affusolati, caviglie sottili... gambe slanciate, come le dipingeva lei stessa nei suoi quadri. Un velo di malinconia cala sulla città, sui passanti, sui monumenti, sul cielo purpureo, su tutto ciò che vede davanti a sé. Com'è possibile che questa città ti abbia dimenticata, pensa, e che io oggi ti abbia incontrata?

"Quanti anni hai, poeta?"

"Ventuno."

La donna emette un soffio roco, a smorzare forse un'esclamazione, e gli occhi le si velano di rimpianto.

"Ventun anni... Quando li ho compiuti io scoppiava una guerra mondiale. Per molti una tragedia, per mio padre una fortuna. Sempre così, la *perra vida*: una maledizione per tanti, una benedizione per pochi."

"Sì, capisco. Le invenzioni del generale..."

"Invenzioni?" lo interrompe lei, come se non volesse sentire quel cognome. "Senza guerre, un inventore di armi da massacro sarebbe un fallito."

Il poeta si rammarica di aver parlato. Ha evocato un ricordo e ora sul volto di lei è calata un'ombra.

Percorrono l'interminabile Paseo de la Reforma, sfilando sotto le statue di condottieri, combattenti per l'indipendenza, generali immancabilmente sconfitti, padri della patria i cui nomi sono ormai quasi dimenticati.

Un'ora più tardi, giunti a Tacubaya, imboccano calle General Cano e si fermano davanti a un'antica *casona* che ha visto un passato di decoro e benessere, ora decrepita e incolore.

Entrano in una sala dal soffitto alto, un ambiente intriso di desolata nostalgia, e tanti anni dopo il poeta ricorderà che "odorava di gatti, di povertà e solitudine".

I gatti spuntano da ogni angolo, da sotto i mobili, dalle altre stanze: una silenziosa adunata di piccoli spettri che la signora saluta uno per uno, per nome, distribuendo carezze e bonari rimproveri. Nella penombra, il poeta è rimasto fermo al centro della sala, come paralizzato: gli occhi di lei brillano, ancor più intensi quando l'intera figura svanisce in una zona più buia, verso il fondo.

Poi lei accende la luce e l'incantesimo si spezza. Il poeta riprende a respirare, accorgendosi soltanto adesso di aver trattenuto il fiato. Percorre con lo sguardo i quadri alle pareti, quelli sui cavalletti, i mazzi di pennelli consunti, i barattoli incrostati di colori, le tavolozze ricavate da oggetti in disuso, finché non rimane colpito da una tela appesa a un paravento, una sorta di lenzuolo dipinto che ritrae un uomo a grandezza naturale, il corpo muscoloso e il volto sorridente, le sopracciglia folte, nerissime, gli occhi scuri, magnetici, penetranti. Lei si avvicina all'inquietante figura virile, passa dolcemente la mano sul volto, sfiora il collo, tocca i capelli come se volesse affondarvi le dita...

"*Mon Capitaine,*" sussurra con un filo di voce, "l'unico vero amore della mia vita. Ogni notte lo adagio sul letto, me lo avvolgo addosso e dormo con il mio Capitano, che mi ha amata come nessun altro, mi ha fatto sentire una regina... Solo con lui sono stata veramente me stessa. Una notte l'oceano me l'ha strappato via, è rimasto sul ponte di comando flagellato dalle onde per salvare il suo equipaggio, nel naufragio che ha colato a picco la mia vita..."

Il poeta rabbrividisce. Sente il bisogno di uscire, di respirare a pieni polmoni, di rientrare nella realtà.

"Carmen..."

La donna non si volta, è come se non avesse neppure sentito.

"Nahui."

"Sì?"

"È tardi. Devo andare."

Allontanandosi da calle General Cano, il poeta ha finalmente una certezza, nella sua vita di dubbi e apparenze. Lei è Nahui. È la donna che, da quando si scelse quel nome, non ha più risposto a chiunque la chiamasse Carmen.

Quella notte il poeta Homero Aridjis, tornato a casa, scrive sul suo taccuino:

"Ho conosciuto una pazza illuminata dal sole. Era Nahui Olín. Come abbiamo potuto dimenticarci di lei? Trasformiamo in statue i personaggi della storia patriottica, ma non sappiamo dare valore alle persone più sensibili, alle inestimabili esistenze che questa terra ha visto sbocciare".

2.

1893

Nel 1893 il tenente-colonnello Manuel Mondragón era all'apice della carriera e della notorietà: dopo aver visto realizzare un cannone da campagna a retrocarica da lui progettato, stava lavorando al modello di un fucile da fanteria che avrebbe addirittura soppiantato l'arma in dotazione all'esercito messicano dell'epoca, il Mauser tedesco, considerato fino a quel momento il più efficiente e versatile fra i tanti prodotti dell'industria bellica europea. Un'ascesa inarrestabile, quella del giovane cadetto Manuel Mondragón, classe 1859, diplomato al Colegio Militar di Città del Messico nel 1880, ufficiale a soli ventun anni, con uno spiccato talento per la tecnica balistica e dotato di una prodigiosa creatività per ogni cosa riguardasse la velocità di ricarica, il potere di penetrazione delle pallottole, i sistemi di puntamento, l'impiego di metalli da sottoporre ad alte sollecitazioni, la maneggevolezza in battaglia e al tempo stesso la precisione nel tiro da appostamento, la resistenza a situazioni estreme quali l'umidità, gli effetti corrosivi del salnitro, gli urti e le cadute, insomma, tutta la parafernalia che renderebbe la guerra un'"arte".

Ma, al tempo stesso, il giovane ufficiale dell'esercito messicano non trascurava la posizione sociale e non sottovalutava l'importanza di una famiglia solida e di sani princìpi: anche per questo aveva sposato Mercedes Valseca, donna mansueta e fedele che gli aveva già dato quattro figli, Manuel,

Dolores, Guillermo e Alfonso, allevati nella grande casa dalle pareti affrescate disposta intorno al patio con fontana in calle General Cano, a Tacubaya, sobborgo poco distante dal cuore della capitale. Mentre Manuel Mondragón si dedicava anima e corpo alla carriera militare, Mercedes accudiva i bambini, governava la ariosa dimora e non veniva meno a quelli che considerava i doveri coniugali, quando il tenentecolonnello non restava in caserma per "improcrastinabili impegni castrensi" o non era lontano per le frequenti manovre e le prove sul campo del suo cannone a tiro rapido. Tanto che, in quel 1893, Mercedes era incinta per la quinta volta... L'8 luglio nasceva una splendida bambina dagli occhi straordinariamente grandi, abbaglianti, spalancati sul mondo come a volerlo divorare. Occhi che divennero ben presto oggetto dell'ammirazione di tutti. La battezzarono María del Carmen Mondragón Valseca. La madre le impartì sin dalla più tenera età la rigida educazione che tanto piaceva al marito, ma in quanto femmina vi aggiunse rudimenti di musica e pittura, come si addiceva a una fanciulla dell'alta società porfiriana. Carmen manifestò doti precoci e facilità di apprendimento, appena offuscate da una tendenza all'indisciplina e ai comportamenti ribelli che preoccupava parecchio doña Mercedes. Il padre, intanto, era occupatissimo con il progetto del suo fucile. Che vide la luce come prototipo già nel 1894, suscitando un tale clamore nell'ambiente militare che lo stesso Porfirio Díaz, tiranno invaghito dei fasti europei, si complimentò personalmente con Mondragón e decise di metterlo in produzione dandogli il suo nome. Dunque, il Mondragón calibro 7 a presa di gas e otturatore girevole, in grado di perforare una piastra d'acciaio di otto millimetri da una distanza di trecento metri, più leggero e maneggevole del Mauser nonché potenzialmente più mortifero – dato che sparare gli otto colpi del caricatore bifilare richiedeva solo sedici movimenti anziché venti come il diretto concorrente prussiano –, attirò l'attenzione dell'industria bellica europea. La Francia aveva già tentato a suo tempo di acquistare il brevetto per la produzione del cannone Mondragón – che il giovane tenente-colonnello progettista aveva però concesso soltanto al Messico per lodevole scelta patriottica – e ora richiedeva i servigi dell'ufficiale in un quadro di scambi con il governo messicano: Porfirio Díaz, lusingato e inorgoglito, ordinò a Manuel Mondragón di recarsi a Parigi, dove era atteso nella fabbrica di armamenti Saint-Chamond. Fu così che nel 1897 la piccola Carmen si ritrovò su un piroscafo in rotta per l'Europa, tenendo gli occhi spalancati sulle onde dell'Atlantico e sgranandoli ancor di più una volta approdata nella Ville Lumière.

Mentre don Manuel stupiva le alte gerarchie militari francesi con la sua competenza e doña Mercedes metteva al mondo altri due figli – María Luisa e Napoleón, nomi scelti in omaggio all'ospitale Repubblica – la piccola Carmen studiava in collegio, imparava il francese sino a parlarlo in modo fluente e a scriverlo con sorprendente proprietà di linguaggio, lasciava di stucco le insegnanti con le sue precoci riflessioni sull'esistenza e trascorreva le ore libere dagli impegni scolastici visitando il Louvre, Notre-Dame, la casa di Rodin e in particolare Les Invalides: cioè la tomba di Napoleone Bonaparte, di cui don Manuel, ammirato dalla prodigiosa carriera di un caporale corso divenuto generale e poi imperatore senza aver neanche avuto bisogno di progettare uno straccio di cannone, "solo" sapendo usare l'artiglieria con stupefacente inventiva, tesseva le lodi.

Da buon militare di carriera, Mondragón era un padre severo e inflessibile, spesso assente e quindi agognato dalla prole, che trattava con affetto ma senza trasporto, convinto che l'eccesso di moine producesse debolezza e favorisse inutili capricci. Eppure, quando si ritrovava davanti gli occhi magnetici di Carmen, quell'espressione enigmatica che lo metteva a disagio – per non parlare di certe sue uscite, così asciutte e prive di fronzoli, così sorprendenti in una bambina –, ebbene, il tenente-colonnello provava una sensazione indefinibile, come se un liquido caldo si riversasse dal cuore alle viscere generando imbarazzo, bisogno di distogliere lo sguardo, di allontanarsi da lei. Quando prendeva Carmen sulle ginocchia, e puntualmente il visino angelico si illuminava di un bagliore indecifrabile, il soldato tutto d'un pezzo si sbriciolava: a dieci anni, quella creatura era troppo sviluppata, e – orrore e panico – sembrava già perfettamente conscia di esercitare un fascino perverso, sembrava già sapere cosa fossero la sensualità e l'erotismo... Sì, non c'erano altri termini possibili, sensualità ed erotismo: due parole che nella mente di Manuel Mondragón non trovavano posto neppure nei più reconditi recessi, e per quanto lui si rifiutasse di lasciarle affiorare, sapeva benissimo che la sua Carmen era affetta da una *enfermedad congénita* capace di trasformarla in una... No, neppure per la parola *puta* c'era posto. "*Válgame Dios*, è mia figlia!" pensava il tenente-colonnello fissandosi allo specchio del bagno, sudato e pallido, i neri baffi tremolanti e gli occhi incavati, come poteva sentire attrazione per quella bambina, carne della sua carne e per giunta in età da bambole e cuccioli, non certo matura per occhiate lascive e battute ambigue in un francese forbito...

L'inventore di cannoni e fucili, stretto nell'uniforme dal taglio sobrio ma carica di decorazioni, aveva un debole per la sua Carmen e non faceva nulla per ostacolare l'idolatria che la piccola manifestava in modo crescente nei suoi confronti. Severità e disciplina le riservava al resto della nidiata. Con Carmen era una resa incondizionata, una disfatta che progressivamente travolgeva ferrei princìpi e granitiche convinzioni.

"Rimasi sconvolto dal modo in cui parlava di suo padre. C'era qualcosa di morbosamente incestuoso che mi turbò profondamente," avrebbe annotato sul suo taccuino, oltre mezzo secolo più tardi, il poeta Homero Aridjis.

3.

DALLA VILLE LUMIÈRE
ALLA DESVENTURADA CIUDAD

Nell'ultimo periodo di permanenza a Parigi Carmen Mondragón lasciò una traccia indelebile nella memoria di chiunque l'avesse conosciuta. Non era *normale*, in una bambina non ancora dodicenne, quello sguardo così penetrante, così ambiguo e a tratti cupo, capace di trasmettere un profondo malessere. Nel 1905 la famiglia del tenente-colonnello ritornò in patria e Porfirio Díaz, fra un'inaugurazione e l'altra di monumenti e palazzi liberty commissionati ai migliori architetti italiani e francesi, trovò il tempo di ricevere in udienza privata l'uomo che costituiva il vanto e la gloria dell'industria bellica messicana.

Ripreso possesso della dimora a Tacubaya, abbellita da pavimenti a mosaico fatti arrivare da Parigi, doña Mercedes si dedicò alacremente alla vana missione di imporre la disciplina alla recalcitrante e *atrevida* figlia Carmen, che trattava i fratelli da inetti e servili *mamelucos*. Punizioni e rimproveri non sortivano alcun effetto benefico, al contrario, e il collegio di suore non attenuò i suoi istinti ribelli: scolara modello, Carmen stupiva le insegnanti del Colegio Francés, madre superiora compresa, con i suoi scritti impregnati di fosche riflessioni sull'esistenza, che andavano di pari passo con una crescente disperazione, un senso di oppressione cosmica e un dichiarato desiderio di morire perché "sento che il mio spirito è troppo vasto per essere compreso, e l'universo è troppo piccolo per colmarlo"... Pensieri insospettabili, per un'alunna che agli occhi dei concittadini era una *yegua fina*, una cavallina di razza, come avevano soprannominato con irriverente sarcasmo le studentesse della scuola francese appartenenti alle famiglie aristocratiche della capitale messicana. Una giovane privilegiata che in realtà odiava la propria posizione sociale e cominciava a detestare la vita in ogni suo aspetto.

Doña Mercedes tentava di impartirle un'educazione religiosa ricorrendo a esempi di bellezza e armonia nella realtà circostante, ma quando le parlava di Nostro Signore che tutto aveva creato, lei compresa, si sentiva rispondere: "Io sono nata contro la mia volontà, e a questo Signore non devo proprio nulla".

Soltanto il rientro a casa del padre, in alta uniforme, sembrava restituirle dolcezza e serenità.

Ma era un'impressione della madre, perché la serenità Carmen non sapeva cosa fosse e non l'avrebbe conosciuta per un solo istante in tutta la sua lunga esistenza.

Mentre Carmen, ormai adolescente, divorava libri di Voltaire, Rousseau, Nietzsche e scriveva versi, appunti, riflessioni, sul Messico si addensavano nubi di tempesta: i contadini senza terra sollevavano la testa e i massacri dell'esercito federale sfociavano in un'insurrezione generalizzata. Si andavano formando vere e proprie armate di diseredati, capeggiate a Sud da Emiliano Zapata e a Nord da Pancho Villa. Ma anche la nascente borghesia delle grandi città non sopportava più il regime dispotico di Porfirio Díaz e sfruttava abilmente la "carne da cannone" di zapatisti e villisti per dare la spallata decisiva a un potere ormai marcio alle fondamenta. La Cucaracha, "lo Scarafaggio", come veniva popolarmente chiamato il vecchio Porfirio in una celebre ballata rivoluzionaria, si ritirava in esilio lasciando un paese in rovina e Francisco Indalecio Madero, già proclamato presidente provvisorio in esilio nel novembre del 1910, vinceva le libere elezioni del luglio 1911, con il progressista José María Pino Suárez come vicepresidente.

Manuel Mondragón, divenuto nel frattempo generale, fu molto abile nel tenersi in disparte, evitando di esporsi nella carneficina quotidiana e dando di sé l'immagine di un militare dedito alla progettazione e non alla repressione. Quando poi constatò che il presidente Madero rinunciava a qualsiasi epurazione negli alti ranghi dell'esercito porfiriano, non esitò a giurare fedeltà alla Repubblica e al governo eletto dal popolo. In molti si illusero che la Revolución fosse finita e che, finalmente, la conquista degli agognati diritti civili e la riforma agraria fossero ormai cosa fatta. Sia Pancho Villa che Emiliano Zapata, entrati trionfalmente a Città del Messico, rifiutarono incarichi e onorificenze convinti che Madero fosse innanzitutto un brav'uomo, onesto e di parola: su questo non avevano torto, anche se nel giro di poco tempo il presidente sarebbe riuscito, suo malgrado, a deludere molti e a scontentare tutti. Stritolato dal potere dell'oligarchia agraria, che non seppe arginare in alcun modo, non poté mantenere le promesse fatte ai *campesinos* del Sud, costringendo Zapata a prendere le distanze dal suo comportamento imbelle. Lasciando pressoché intatta la struttura economica e militare del porfiriato, Madero si ritrovò a governare soltanto virtualmente il paese, ma al tempo stesso, cedendo alle pressioni di tali potentati, represse le attività del movimento operaio, inimicandosi i sindacati. E per colmo di sventura si attirò le crescenti antipatie del governo statunitense, che lo accusava di non salvaguardare gli interessi delle imprese nordamericane sul suolo messicano, decretando così la sua condanna.

All'inizio del 1913 Madero si ritrovò a dover affrontare contemporaneamente le ribellioni nelle campagne e l'ostilità di latifondisti e finanzieri, senza l'appoggio della classe operaia che lo considerava in balìa dei poteri forti. A quel punto, il governo statunitense approfittò della situazione per "riportare l'ordine", secondo le parole dell'ambasciatore Henry Lane Wilson.

La sera di sabato 8 febbraio 1913, il generale Mondragón rientrò a casa dopo alcuni giorni trascorsi in caserma. Ai familiari bastò vedere la sua espressione impenetrabile per smorzare sul nascere l'accoglienza festosa che sempre gli riservavano al termine di lunghe assenze. A tavola mantenne un atteggiamento distaccato, rivolgendo raramente la parola ai figli, immerso nei suoi pensieri. La moglie non osò domandare spiegazioni finché la cena non fu finita e ognuno si ritirò. Lui le rispose soltanto:

"Resto qualche ora a riposarmi. All'alba torno alla Ciudadela. Appena sarò uscito spranga porte e finestre, e non permettere a nessuno di allontanarsi da casa. Ne va della vostra vita".

Doña Mercedes si morse il labbro, provò a chiedere cosa stesse accadendo, ma il generale fu irremovibile:

"Fa' come ti dico. E abbi fiducia in me. Tornerò presto, ma se dovesse succedermi qualcosa ho già predisposto tutto: un mio attendente verrà a prendervi, seguilo soltanto se è un militare di tua conoscenza e se ti darà questa", e si sfilò dal taschino dell'uniforme una medaglia, la croce al valore consegnatagli da Porfirio Díaz al ritorno dalla Francia. "Ora vai a letto, e cerca di dormire. Ai ragazzi, di' che il loro padre sta solo facendo il proprio dovere nei confronti della patria."

Doña Mercedes, abituata a non porre domande al marito militare, si ritirò obbediente nella sua stanza.

Il generale Mondragón si sedette sulla poltrona preferita, rassegnato: quella notte non sarebbe comunque riuscito a chiudere occhio. Prese la cartella e tirò fuori gli elenchi dei comandanti delle piazzeforti dell'intero paese, accanto ai quali c'erano annotazioni del tipo "ha aderito, affidabilità assoluta", "indeciso, si schiererà in base al volgere degli eventi", "aderisce ma è un inetto, inaffidabile", oppure "è contro di noi: eliminare al più presto" e "ignaro: lasciare all'oscuro, obbedirà agli ordini dei vincitori". Li ripose nella cartella e si massaggiò le tempie. All'improvviso trasalì, sentendo il contatto delicato di una mano sulla spalla.

"Carmen... Che fai ancora alzata? Avevo dato precisi ordini a tua madre, dovresti essere a letto da un pezzo."

Carmen si accucciò sul tappeto, cinse le gambe del padre e gli appoggiò il mento sulle ginocchia. Il generale Mondragón distolse lo sguardo da quegli occhi che brillavano nella penombra, riflettendo il fioco bagliore della lampada a petrolio sulla scrivania.

"Ho paura, papà."

"Non devi. In questa casa sei al sicuro. Non ti accadrà nulla."

"Non mi importa cosa potrebbe accadermi, lo sai. Io ho paura per te."

Il generale Mondragón ebbe un gesto di tenerezza, le accarezzò i capelli e la sollevò tirandola a sé. Carmen si alzò, credendo di sedersi accanto a lui, sul bracciolo della poltrona, ma il padre la sospinse verso uno sgabello imbottito rivestito di cuoio, dove lei si accomodò tenendo il busto eretto, il viso leggermente all'indietro come in attesa di spiegazioni, il seno proteso... I capezzoli si delineavano perfettamente sotto la leggera camicia da notte di raso, e lui li stava osservando. La figlia colse l'imbarazzo del padre e non fece nulla per mitigarlo. Al contrario, accavallò le gambe e lasciò che la corta vestaglia cadesse di lato, scoprendo una coscia muscolosa e lunga, ambrata.

"Ti ho detto tante volte che non mi piace che tu vada in giro per casa senza vestiti appropriati," mormorò il generale fingendo un tono severo che però gli uscì sconsolato, quasi implorante. "I tuoi fratelli più grandi sono ormai uomini adulti, non è decoroso che ti vedano così."

"I miei fratelli dormono. Come sempre, del resto."

"Smettila, Carmen."

E lei smise: si chinò in avanti e tornò la bambina smarrita di un tempo, quando la malinconia non aveva ancora incupito il verde smeraldo dei suoi occhi, quando non giocava con l'attrazione che sapeva di esercitare sui maschi. Si coprì le gambe e incrociò le braccia sul petto.

"Ti prego, papà, dimmi cosa accadrà domani. Non hai mai avuto segreti per me."

Lui sospirò, celando lo sguardo dietro la mano appoggiata sulla fronte, poi fissò la fontana al di là della portafinestra, nel patio, e con un filo di voce disse:

"Domani riporteremo l'ordine in questo paese allo sbando. O almeno ci proveremo. Qualunque cosa accada, non prestare ascolto a ciò che sentirai dire in giro nei prossimi giorni, o forse mesi... o addirittura anni. Non posso dirti altro, per il momento. Con il tempo, capirai. Quando sarai più grande".

"Ho vent'anni, papà," lo interruppe bruscamente la figlia, ma senza alzare la voce. "Non sono più la *yegua fina* che studia dalle suore francesi. Voglio sapere cosa accadrà domani, e soprattutto cosa sta rischiando mio padre."

"Sono un soldato, Carmen. Rischiare la vita fa parte dei miei doveri."

"Doveri? Il principale dovere di un soldato, me lo hai sempre detto, è difendere le istituzioni, il governo. Per me sono sempre state frasi prive di significato, ma per te no, tu ci hai creduto in quelle parole, non le recitavi senza convinzione..."

Il generale si alzò con fatica, fece qualche passo e poi si girò:

"Non dovrei discuterne con te. Ma tu sei così diversa dagli altri miei figli... Troppo diversa. E non voglio che qualcu-

24

no, domani, ti dica che sei figlia di un traditore. Io e altri uomini d'onore abbiamo deciso che il Messico non può continuare a sprofondare nel caos, ci sono valori che vanno salvaguardati più delle stesse istituzioni, e tocca a noi farlo. Questo paese ha grandi potenzialità e Madero le sta gettando alle ortiche. Le sta lasciando imputridire. Il nostro potente vicino del Nord è pronto a favorire con grandi mezzi lo sviluppo del Messico, ma per entrare nella modernità, per offrire ai giovani come te un futuro solido, ci obbliga a compiere scelte dolorose".

Carmen si avvicinò e quando gli fu di fronte socchiuse gli occhi:

"Fino a poco tempo fa dicevi 'il presidente', ora lo chiami Madero. Lo definivi un brav'uomo, un giusto, una speranza per le sorti della nazione... E adesso, cosa è cambiato?".

Il generale ebbe un moto di stizza:

"Santa Vergine, non è con te che devo discutere di simili questioni!".

Carmen rimase impassibile. Continuò a guardarlo negli occhi. E lentamente il padre si acquietò, rassegnato a cedere ancora una volta.

"Carmen, gli uomini buoni e giusti vanno bene per mandare avanti un'*hacienda*, per comprare e vendere cavalli, per fare i preti e i vescovi, per qualunque cosa... ma per governare una grande nazione non basta essere buoni e giusti, e Madero è anche un inetto, la sua indecisione ci sta portando alla rovina. Ora, ti prego, vai nella tua stanza. Io ho ancora molto da fare, prima dell'alba."

Carmen abbassò il capo e andò verso la porta senza un fruscio, quasi scivolasse a una spanna dal pavimento. Il padre la raggiunse, la prese per una spalla costringendola a voltarsi e la strinse forte a sé.

"*Corazoncito de mi alma...* Sai quanto ti voglio bene, quanto vorrei vederti felice. Sei nel fiore degli anni, sei la più bella ragazza di questa sventurata città, Dio mi è testimone che non avrei mai voluto coinvolgerti in tutto ciò. Ma quanto sta per accadere segnerà anche te, purtroppo. Perché sei la figlia del generale Mondragón, che domani a quest'ora sarà o un salvatore della patria, o un reietto. Carmen: sarai abbastanza forte da goderti la vita anche nella seconda ipotesi? Ti prego, dimmi che ce la farai."

Carmen lo abbracciò a sua volta e affondò il volto nell'uniforme che sapeva di caserma, polvere, acqua di colonia della fureria, sudore diurno e umori notturni. Sgranando i grandi occhi resi ancor più splendenti dalle lacrime mormorò:

"Non amo la vita, padre mio. E se dovessi perderti, per me la vita diventerebbe intollerabile".

Prima che lui potesse scongiurarla di ricredersi, lei sgattaiolò via, flessuosa e felina, ancora più bella, ammutolita dalla disperazione.

4.

"LA DECENA TRÁGICA"

All'alba del 9 febbraio 1913, la "sventurata città" iniziò un calvario di dieci giorni che sarebbe passato alla storia come "la Decena Trágica". Migliaia di morti, devastazioni, cannonate sulle zone più popolose e sugli antichi palazzi, combattimenti strada per strada, cumuli di cadaveri sul selciato, fumo nel cielo terso dell'inverno messicano, pozze di sangue agli incroci delle *avenidas* e lamenti di feriti sui marciapiedi. Perché se la rivoluzione aveva rispettato la capitale, e il centro storico più vasto e imponente delle Americhe, il colpo di stato dei "generali felloni" la sfregiò senza ritegno.

Il generale Manuel Mondragón uscì sul far del giorno, prelevato da un'autovettura con nutrita scorta di soldati a cavallo, e da Tacubaya si diresse al carcere militare di Santiago Tlatelolco, dove liberò il generale Bernardo Reyes; quindi alla prigione di Lecumberri, in cui era detenuto Félix Díaz, anche lui arrestato per sedizione. Reyes aveva capeggiato una rivolta militare già nel dicembre del 1911, e Díaz, nipote del dittatore Porfirio, si era ribellato contro Madero nell'ottobre del 1912, sobillando le truppe di Veracruz e chiedendo l'appoggio della marina statunitense che aveva alcune navi alla fonda nel porto. Domata anche la sua insurrezione, con Washington in posizione attendista, era stato trasferito nel penitenziario di Lecumberri, a Città del Messico.

Contemporaneamente, un manipolo di cadetti del Colegio Militar, agli ordini dei cospiratori, occupava il Palacio Nacional, sede della presidenza della Repubblica. In quel momento Francisco Madero si trovava nella residenza del Castello di Chapultepec, a pochi chilometri dagli edifici istituzionali. Preso il comando degli altri cadetti, si precipitò a cavallo verso l'epicentro della sedizione. Il fotografo Casasola, destinato a fornire al paese la memoria storica di quell'epoca straordinaria attraverso migliaia di immagini, gli scattò una fotografia di struggente drammaticità: Madero sembra un don Chisciotte lanciato contro i mulini a vento, in corsa verso un destino beffardo, dignitoso eppure patetico nell'improvvisarsi uomo d'azione votato alla sconfitta.

Intanto, nel Palacio Nacional accadeva l'imprevedibile, qualcosa di *muy mexicano*: il generale Lauro Villar, fedele al presidente Madero, avanzò contro i fucili puntati e, offrendo il petto, arringò i cadetti con un accorato appello alla lealtà nei confronti della Costituzione e all'onore del Messico, invocando l'orgoglio e la fierezza del sangue azteco che scorreva nelle loro vene, scongiurandoli di non cedere alle lusinghe dei nuovi conquistatori che avrebbero smembrato il paese piegandolo alle mire dei *poderosos de siempre*. I cadetti si ammutinarono agli ufficiali cospiratori e si misero agli ordini del generale Villar. Poco dopo arrivarono Mondragón, Díaz e Reyes, alla testa delle loro truppe. Ignaro di quanto era accaduto all'interno del palazzo presidenziale, il generale Bernardo Reyes, riacquistata l'abituale arroganza, entrò con passo marziale e si ritrovò al centro del fuoco incrociato: i cadetti spararono sui soldati traditori e questi risposero. Reyes cadde crivellato sul portone, ma nello scontro rimase gravemente ferito anche il leale Lauro Villar. Bastò la pallottola che lo mise fuori combattimento a segnare la sorte di Madero: senza Villar, non restavano ufficiali d'alto rango dotati di sufficiente carisma per rovesciare la situazione. E fu allora che si fece avanti il generale Victoriano Huerta. Sotto Porfirio Díaz, nel 1903 aveva condotto la campagna di sterminio e deportazioni contro gli indios maya del Quintana Roo, poi, scortato il dittatore a Veracruz, dove si era imbarcato per l'esilio, Huerta aveva giurato fedeltà a Madero ottenendo il comando delle truppe federali nel Morelos, lo stato in cui si era distinto per una serie di atrocità contro la popolazione civile solidale con gli zapatisti. Madero, incapace di tenerlo a freno, si era così inimicato Emiliano Zapata, che aveva riorganizzato il proprio esercito per difendere i contadini. Successivamente, Huerta aveva tentato un colpo di mano contro Pancho Villa, condannandolo alla fucilazione con un pretesto – "insubordinazione alla disciplina militare" –, ma in quel caso Madero era intervenuto appena in tempo, inviando l'ordine di liberarlo quando Villa era già davanti al plotone di esecuzione. Ora Victoriano Huerta, lo sguardo perennemente celato dietro gli occhialini neri, si presentava al cospetto di Francisco Madero convincendolo della propria lealtà e, con Villar in gravi condizioni, ottenne dal presidente il comando delle truppe.

Pochi giorni prima Huerta si era incontrato con il vero artefice del colpo di stato, l'ambasciatore statunitense Henry Lane Wilson, che gli aveva garantito l'appoggio del suo governo e, in caso di difficoltà, l'intervento dei marines. Al contempo, Wilson sobillava il corpo diplomatico con una campagna di discredito ai danni di Madero, da lui definito "un imbecille lunatico", e inviava dispacci al dipartimento di stato a Washington sostenendo che l'operato del presidente costituiva una grave minaccia agli interessi statunitensi in terra messicana. La congiura aveva preso corpo grazie a lui, tanto che l'accordo segreto fra Huerta, Félix Díaz e Manuel Mondragón sarebbe passato alla storia come Pacto de la Embajada, essendo stato stipulato nell'ambasciata di Wilson.

Mentre Huerta ingannava fatalmente Madero, Mondragón si trincerava con i suoi uomini all'interno della Ciudadela, da cui prese a sparare sui soldati lealisti e sul palazzo presidenziale. Per la prima volta, dopo tante esercitazioni su bersagli in aperta campagna, poté valutare la reale efficacia dei cannoni da lui progettati: le granate esplodevano con precisione micidiale fra le truppe al comando di Huerta. Che a sua volta faceva bombardare la Ciudadela, ma senza dare l'ordine di espugnarla... Entrambi i generali sacrificavano centinaia di uomini, eppure nessuno degli obici centrava i punti chiave dello schieramento avversario. Molti civili scesero in strada a combattere per difendere il governo costituzionale rimanendo uccisi dal tiro incrociato, spesso senza capire da dove provenissero i colpi. Nella sola giornata dell'11 febbraio si contarono oltre cinquecento vittime.

E Casasola fotografava. Caricandosi in spalla la pesante macchina su treppiede, impressionava lastre su lastre. Sua è l'immagine simbolo della Decena Trágica: un giovane che, impugnando un fucile lanciagranate, spara contro i golpisti inginocchiandosi al termine di una breve corsa in mezzo alla strada, incurante delle pallottole che piovono intorno. Nessuno sa se sia sopravvissuto a quei giorni. La storia ce lo ha tramandato così, nella fotografia virato seppia dell'Archivio Casasola: i capelli bagnati di sudore, il volto contratto, i pantaloni impolverati, la giubba sbottonata e priva di insegne, una bisaccia bianca rimediata chissà dove, le scarpe logore, forse un soldato della guardia presidenziale che combatte per la dignità di una rivoluzione democratica tradita sul nascere. In secondo piano, leggermente sfocata, la figura grottesca di un diavolo che si affaccia da un manifesto pubblicitario con il braccio curiosamente proteso, quasi a voler ghermire alle spalle quell'uomo, ignaro che il nemico è già insediato all'interno del palazzo da lui difeso strenuamente.

I giorni trascorrevano in un crescendo di sangue, con Madero che non riusciva a spiegarsi perché le truppe lealiste non espugnassero la Ciudadela e che intanto si dedicava febbrilmente a creare un nuovo governo, puntando su giovani ministri come José Vasconcelos; riacquistò l'ottimismo il 16 febbraio, quando giunse un telegramma del presidente statunitense William Howard Taft, che pur manifestando la sua preoccupazione per gli interessi delle imprese nordamericane in Messico escludeva qualsiasi intervento militare. "Morirò, se sarà necessario, nel compimento del mio dovere," confidò Madero a Vasconcelos, "ma dobbiamo vincere, perché noi rappresentiamo il bene."

Il 17 febbraio il fratello del presidente, il deputato Gustavo Madero, venne a conoscenza di un incontro fra Huerta e il generale Díaz, che pur essendosi asserragliato nella Ciudadela pareva godere di una inspiegabile libertà di movimento, tanto che i due si erano visti nel centrale Café El Globo. Gustavo fece convocare Huerta al cospetto del presidente, che ancora una volta si lasciò irretire: gli concesse ventiquattr'ore di tempo per dimostrare la propria lealtà. Una decisione suicida. A quel punto, Huerta decise di gettare la maschera. L'indomani attirò Gustavo in un tranello, lo fece arrestare e trasferire alla Ciudadela, dove venne immediatamente fucilato. Poi ordinò l'attacco al palazzo presidenziale: dopo una cruenta sparatoria con gli ultimi fedelissimi della guardia, il generale Blanquet, d'accordo con Huerta, fece prigionieri Francisco Madero e il vicepresidente Pino Suárez. Madero, incredulo, reagì schiaffeggiando Blanquet: "Lei è un volgare traditore!". E l'altro rispose beffardo: "Sì, sono un traditore, e con ciò?".

Henry Lane Wilson era esultante: il suo piano trionfava, giusto in tempo per il passaggio delle consegne a Washington; a Taft sarebbe subentrato Woodrow Wilson, che all'inizio del suo mandato non avrebbe potuto coinvolgere l'amministrazione in una simile avventura. Quel giorno l'ambasciatore tedesco Von Heinz annotava disgustato sul suo diario: "Wilson si vanta di aver organizzato un colpo di stato in Messico, in spregio a qualsiasi rispetto della sovranità nazionale di questo sfortunato paese".

31

Francisco Madero, sperando di fermare il bagno di sangue, firmò le dimissioni redatte da Victoriano Huerta. L'ambasciatore di Cuba, Márquez Sterling, gli offrì asilo all'Avana. In quei concitati istanti Madero si confidò con lui:

"Un presidente eletto per cinque anni rovesciato dopo soli quindici mesi non può lamentarsi che di se stesso... La storia, se è giusta, lo confermerà: non ho saputo reggere le redini del governo. Ho commesso gravi errori. Ma ormai è troppo tardi per recriminare".

Huerta chiese a Wilson cosa fare di Madero. L'ambasciatore statunitense inviò un sarcastico dispaccio a Washington: "Il generale Huerta mi ha chiesto consiglio, se spedire Madero in esilio o rinchiuderlo in un manicomio. Gli ho detto di fare la cosa migliore per ristabilire l'ordine nel paese".

E Huerta eseguì.

La notte del 21 febbraio Madero la trascorse nell'Intendenza del palazzo presidenziale, agli arresti. Era riuscito a tenere con sé una copia del libro che aveva scritto fra il 1910 e il 1911, *Comentarios al Baghavad Gita*, che forse lo aiutò nel distacco dalle cose terrene predicato da Krishna al principe Arjuna. Aveva sottolineato un passo:

"Meglio compiere il proprio dovere malamente, che far bene ciò che spetta ad altri. Colui che opera secondo la propria natura rispetta se stesso e non cede al male".

Ma per quanto attratto dalla mistica e dallo spiritismo, restava un uomo di fede cristiana che citava a memoria il Vangelo, appreso durante gli studi giovanili presso i gesuiti. Il 22 febbraio 1913 gli annunciarono che lo avrebbero condotto al penitenziario e lo fecero salire assieme a Pino Suárez su un'autovettura, seguita da un'altra stipata di soldati.

"Il Signore è il mio pastore, non manco di nulla. Se dovessi camminare in una valle oscura, non temerei alcun male, perché Lui è con me."

L'autista lo ignorò, l'ufficiale di scorta si voltò e abbozzò un sorrisetto di commiserazione.

L'auto superò l'ingresso del carcere. Si fermò in un campo incolto dietro l'edificio. I due prigionieri furono fatti scendere. L'ufficiale estrasse la pistola dal fodero, appoggiò la canna sul collo del presidente Francisco Madero e gli sparò un colpo a bruciapelo. Pino Suárez venne spinto contro il muro esterno del penitenziario e fucilato.

Il generale Manuel Mondragón sembrò lasciarsi assorbire dal silenzio. Si defilò abilmente, quasi nessuno lo citava più come uno dei principali artefici del colpo di stato, riuscì a rimanere estraneo anche all'assassinio di Madero e si confuse con i tanti militari che, da una parte e dall'altra, avevano combattuto senza infamia e senza lode, obbedendo a ordini superiori.

Di lì a poco il nuovo dittatore del Messico, Victoriano Huerta, gli avrebbe affidato il ministero della Guerra. La carriera di Mondragón sembrava inarrestabile. Rapida, troppo rapida per non subire contraccolpi.

5.

"TON CŒUR, MON PÈRE"

Nella grande casa di Tacubaya vigeva una regola ferrea, mai decretata ma rispettata da tutti: non si parlava della Decena Trágica, e tanto meno del defunto presidente Madero. Doña Mercedes, ora moglie di un ministro, non poteva che essere fiera del marito. I figli si godevano i privilegi che ne derivavano. Carmen trascorreva fuori più tempo possibile, mandando al diavolo la madre se tentava qualche timido rimprovero e agognando la presenza del padre, sempre più sporadica.

Il paese sembrava decisamente avviato verso un futuro luminoso, le imprese straniere calavano come api sul nettare – o come avvoltoi su un cadavere –, gli investimenti fioccavano, le attività commerciali riprendevano floride, l'esercito si riorganizzava affidando agli ufficiali porfiristi i posti di comando strategici, i sindacalisti sparivano misteriosamente o finivano crivellati di colpi sulla porta di casa o davanti ai cancelli della fabbrica, gli operai delle grandi città chinavano il capo e lavoravano sodo per assicurare alla nazione l'ingresso nella tanto anelata modernità. E quanto ai contadini, maggioranza della popolazione... riprendevano ad arruolarsi nelle file di Villa e Zapata, che dal Nord e dal Sud guidavano la resistenza armata.

Era un duro mestiere, quello di ministro della Guerra. Reclutare ragazzi, addestrarli sommariamente e spedirli sui due fronti diventava sempre più difficile: erano figli di gente umile, molti preferivano unirsi ai ribelli, mentre i rampolli della nuova aristocrazia al massimo aspiravano al Colegio Militar per divenire cadetti e poi ufficiali, ma quel "poi" significava anni, e il tempo stringeva, più tiranno dello stesso Huerta.

Quella notte il ministro Mondragón rientrò tardi, come spesso accadeva. Mancavano poche ore all'alba. La casa in calle General Cano era immersa nel buio. Si slacciò il cinturone, posò la fondina con la pistola sul trumeau francese stile Impero del suo studio, la sciabola nel fodero la adagiò sul divanetto, attento a non far tintinnare i metalli di fibbie e passanti, quindi, esausto, raggiunse il bagno. Si sbottonò la redingote, la gettò sulla toletta, si sfilò il colletto inamidato e si arrotolò le maniche della camicia. Lo specchio fu impietoso: occhi arrossati, circondati da paludi scure, come infossati nella melma, e poi le rughe, le guance ingrigite dalla barba, i baffi in disordine... Di lì a poche settimane avrebbe intrapreso un lungo viaggio, fino in Belgio, per un congresso sugli armamenti. Gli era stato comunicato quella mattina. Poteva essere una scusa ben architettata per allontanarlo e metterlo di fronte al fatto compiuto. Presto lo avrebbero rimosso dall'incarico, se lo sentiva. Maledetti straccioni. Un'armata di derelitti a Sud, un'accozzaglia di *bandoleros* a Nord, agguati, disfatte, munizioni e vettovaglie che si perdevano chissà dove, armi che finivano immancabilmente in mano nemica, binari dinamitati e treni assaltati... Eppure, non riusciva a odiarli. Per colpa loro stava perdendo tutto, ma l'istinto gli diceva che meritavano rispetto. Quella *gentuza*, quei miserabili, avevano fegato e orgoglio. Lui no. Non più. Ma ce l'aveva mai avuto il coraggio, lui? Sapeva cosa fosse l'odore del sangue e della cordite in battaglia? Conosceva il lezzo dell'adrenalina sprigionata durante una carica in campo aperto? E la faccia di un uomo che muore combattendo, com'era? E le viscere trattenute con le mani, e gli occhi velati, e il tremito estremo, che ne sapeva lui di come si crepa lottando per un briciolo di dignità? Neppure i cadaveri sfracellati dalle granate dei suoi cannoni aveva visto. Dalla Ciudadela, impartiva ordini e seguiva il tiro dell'artiglieria con il binocolo. I morti, da lontano, sono fantocci inanimati, stracci al vento.

Sobbalzò, ma si contenne. Le mani, morbide, dal tocco soave, lo cingevano da dietro, gli accarezzavano il torace, la sinistra scivolava verso il ventre e la destra si fermava all'altezza del cuore. Nell'ordine naturale delle cose, ci sarebbe dovuta essere sua moglie lì, ad accogliere il guerriero di cartapesta tornato a casa dopo tante traversie e umiliazioni. Ma Mercedes dormiva: se tendeva l'orecchio, poteva persino sentirne il respiro pesante oltre la porta della loro camera.

"Papà, sei tornato, finalmente."

La vide nello specchio: un ritaglio di volto angelico, gli occhi socchiusi nel piacere di stringerlo fra le braccia, la spalla nuda, con la bretella di seta che scivolava di lato.

"Carmen... cosa fai alzata a quest'ora?"

Solo in quel momento avvertì il suo profumo, tenue e delicato, l'eau de toilette che faceva venire appositamente da Parigi solo per lei, unico piccolo privilegio di cui si valeva nella sua posizione.

"*Ton cœur, mon père... Le cœur de mon père le général.*"

Lo infastidiva che parlasse in francese. Lo faceva spesso, in casa, per provocare il resto della famiglia, sapendo che in quella lingua soltanto lui poteva capirla bene. Gli teneva la mano sul cuore, e ne coglieva i battiti nel palmo.

"Cosa si prova, *mon général*, a uccidere un uomo buono e giusto? Anche quel giorno ti batteva così forte?"

Lui si divincolò. Girandosi di scatto le afferrò i polsi, e intanto borbottava, trattenendo la voce per non svegliare gli altri: "Come ti permetti? Io non l'ho ucciso, io...".

La camicia da notte era slacciata fino all'ombelico. Nel brusco movimento, un lembo si era scostato lasciando scoperto un seno. Lo sguardo del generale indugiò sul capezzolo roseo.

Prima di rendersene conto le aveva sferrato uno schiaffo. Sibilò a denti stretti:

"Vergognati".

Carmen rimase impassibile. Finché lasciò affiorare la lama affilata di un leggero sorriso: l'espressione di sfida era insopportabile. Continuava a fissarlo e non accennava minimamente a coprirsi. Fu il generale a battere in ritirata. Per uscire dal bagno dovette strusciare contro il suo petto, lei non si mosse di un millimetro.

Quando lui fu nel corridoio, Carmen disse ad alta voce:

"Mi sposo, *mon général*".

Il padre si bloccò, impietrito. Girò soltanto la testa, non abbastanza da poterla vedere, e mormorò:

"Cosa... che hai detto?".

"E ti darò tanti nipotini," aggiunse Carmen, battendosi una manata sui fianchi, con un tono di voce che a lui sembrò volgare, spregevole, da megera, da posseduta, da...

"La tua bambina, *mon général*, sta per capitolare sotto l'assalto di un giovane guerriero. E lo conosci, per giunta. Ma non temere: dopo tante vittorie, questa sarà per te la più dolce delle sconfitte. O speravi che restassi tutta la vita in questo covo di morti viventi?"

Mondragón stava per tornare sui suoi passi e schiaffeggiarla ancora, ma in quel momento si aprì la porta in fondo al corridoio: doña Mercedes, scarmigliata e patetica nella sua camicia da notte a righe, ingrassata e senza trucco, i piedi gonfi costretti in pantofoline tre misure più piccole, li guardava stranita, cercando di tornare in vita dal sonno mortale che la attanagliava.

"Ecco," disse Carmen con un sorriso gelido, "si è scoperchiata una tomba."

Lui andò incontro alla moglie e scomparve con lei dietro la porta, che si richiuse senza alcun rumore.

Non fu una notte di riposo, per i coniugi Mondragón. Doña Mercedes giurava di non sapere nulla, ma ammise che da qualche tempo Carmen trascorreva fuori gran parte del giorno e anche la sera, spesso, usciva per andare a feste e balli. Non aveva potuto farci niente, disse, e a un certo punto – contrattaccando almeno una volta in vita sua – riversò tutte le colpe sul "signor ministro" che a casa non si vedeva mai, e all'inferno il governo, la guerra e il futuro del paese, se il prezzo era una famiglia allo sfascio. Anzi, no, non la famiglia. Soltanto lei, quell'indemoniata, quella sgualdrinella, quella figlia indecente e ingrata che sembrava non vedere l'ora di aprire le gambe al primo venuto e sollazzarsi come la *yegua* in calore che era. Il generale e ministro Mondragón sferrò il secondo schiaffo di quell'infausta nottata. Doña Mercedes rimase attonita. Si strofinò la guancia arrossata, poi si coricò lentamente, con la dolente maestosità di un piroscafo che naufraghi in acque chete; lo sguardo vitreo, appoggiò il viso sul cuscino e cominciò a piangere.

Manuel Mondragón, seduto sul letto, pensò che affrontare i ribelli del Nord e del Sud fosse un sollievo, al confronto della vita in quell'obitorio arredato con mobili parigini.

6.

NOZZE IN BIANCO

Victoriano Huerta amava ripetere che per risolvere la questione zapatista era sufficiente un investimento di appena diciotto centesimi: "Il costo di una corda per impiccarli". Inviò nel Morelos il famigerato Juvencio Robles, già distintosi in precedenti campagne durante le quali aveva massacrato migliaia di civili. Robles godeva della totale fiducia di Huerta, che di lui diceva: "Con i ribelli non si comporta da donnicciola". Non deluse le aspettative: il Morelos, invaso dai federali ai suoi ordini, si trasformò in uno scenario di morte e desolazione. Ma gli zapatisti resistevano, l'efferata crudeltà di Robles non li piegava, anzi, più ne torturava e impiccava, più aumentava il numero di giovani contadini che si univano a Emiliano Zapata. Nel frattempo, Pancho Villa sferrava attacchi micidiali contro le guarnigioni del Nord e avviava la lotta di liberazione del suo stato, lo sterminato Chihuahua. Nel Sonora, Venustiano Carranza non riconosceva l'autorità dell'usurpatore e, con l'appoggio dei generali Álvaro Obregón e Plutarco Elías Calles, proclamava un governo costituzionalista provvisorio. Ben presto Huerta dovette richiamare contingenti di truppe assegnati a Robles per destinarli a contrastare i villisti. La situazione si aggravava di giorno in giorno, la crescente destabilizzazione del paese preoccupava il governo degli Stati Uniti, che minacciava l'ennesima invasione a difesa dei propri interessi economici.

Nel mezzo di un simile marasma, il ministro della Guerra non si dimostrava all'altezza del suo mandato.

Huerta, oltre a imporre il pugno di ferro su ogni forma di opposizione, mirava a disfarsi dei cosiddetti "Ciudadelos", i due generali che avevano compiuto il colpo di stato, nel timore che non avessero perso il vizio: di fronte al disastro incombente, erano gli unici in grado di rovesciarlo per tentare una mediazione con gli insorti e restituire al governo una facciata democratica. Félix Díaz lo spedì in Giappone, come ambasciatore, con il pretesto di sviluppare solidi legami con l'Impero del Sol Levante, mentre a Manuel Mondragón affidò una "missione di straordinaria importanza politica e militare": partecipare a un congresso sugli armamenti a Gand, in Belgio, dove avrebbe potuto vendere la licenza delle sue invenzioni belliche a nazioni europee procurando al Messico vitali introiti. Mondragón era appena sbarcato dal piroscafo quando ricevette dall'ambasciata messicana la comunicazione che era stato rimosso dall'incarico di ministro. Una volta rientrato a Città del Messico si rese conto che tutti i suoi uomini più fedeli erano stati destinati a mansioni secondarie, in posti di scarso rilievo. La sua stella era tramontata: comunque andasse a finire, nella migliore delle ipotesi lo aspettava l'esilio. Se Huerta fosse rimasto in sella lo avrebbe messo sempre più in disparte, ma se i rivoluzionari avessero vinto sarebbe stato assurdo sperare che dimenticassero il suo ruolo nel colpo di stato.

Manuel Rodríguez Lozano era un cadetto del Colegio Militar, bello e ambizioso. Così ambizioso da aspirare a ben altro che la carriera militare, tanto che aveva convinto uno zio, potente funzionario al ministero degli Esteri, a introdurlo nell'ambiente diplomatico. Manuel era figlio di un personaggio influente, l'avvocato Zenaido Rodríguez, uomo colto che aveva fatto della propria casa un luogo di ritrovo degli intellettuali più in vista dell'epoca, tra i quali il celebre poeta Amado Nervo. Rimasto orfano della madre Sara in tenera età, Manuel era cresciuto in un ambiente dove tutto quel discutere su questioni per lui astruse contribuiva a renderlo sempre più introverso e solitario. Per fortuna c'era la sorellina Carmen, incantevole bambina prodigio che a soli dodici anni aveva debuttato in un concerto al conservatorio: Carmen era la sua compagna di giochi, la sua confidente, il rifugio dove poter apprezzare il silenzio complice. Era morta poco dopo quel concerto che l'avrebbe proiettata verso un futuro luminoso nel mondo della musica, lasciando Manuel chiuso in un dolore annichilente. Ancora adolescente, questi aveva poi chiesto al padre di farlo accedere all'accademia militare, una scelta che sembrava una reazione di rifiuto totale delle aspirazioni intellettuali nutrite per il suo futuro.

Ben presto Manuel si rese conto che la disciplina militare non rappresentava certo la via di fuga sperata, così cominciò ad accarezzare il sogno della carriera diplomatica, frequentando intanto le feste da ballo dell'alta società ex porfirista e neohuertista. Fu durante un ricevimento al ministero che conobbe Carmen. Si chiamava come la sorella perduta ed era bella quanto il suo angelo indimenticabile, se non di più.

Non vi fu alcun colpo di fulmine, nessuno dei due rimase folgorato dalla bellezza o dalla personalità dell'altro, però entrambi provarono simpatia e attrazione reciproche: Manuel era affascinato dai comportamenti spregiudicati di Carmen, e lei rimase colpita dalla mancanza di quell'affettazione e di quel conformismo che rendevano scialbi tutti i giovani fino a quel momento conosciuti; lui era un bel ragazzo, senza dubbio, ma aveva soprattutto un talento raro, per quell'ambiente di salme in formalina: un'ironia tagliente, unita a una naturale eleganza che gli conferiva un'aria distaccata, un fascino discreto. Era un falco solitario in mezzo a stormi di corvi opachi e grassi piccioni. E si chiamava Manuel, come suo padre.

Carmen si aggrappò a Manuel come se fosse una scialuppa di salvataggio e commise l'errore fatale di crederlo una scorciatoia, il cammino più breve per fuggire. Fu lei a proporgli di sposarla, con un candore e un entusiasmo che lo lasciarono interdetto. Lui si limitò a sorridere e a farle credere che fosse lusingato, perché tutto sommato aveva davanti la ragazza più bella e desiderabile che si potesse incontrare in quei saloni asfittici, tra mummie incartapecorite e giovani beoti. Manuel fece i suoi calcoli: attraverso il matrimonio con la figlia del generale Mondragón avrebbe potuto raggiungere una posizione sociale invidiabile, dunque la sua ambizione prevalse sull'istintiva ritrosia. Manuel non l'amava, ma era giunto il momento di prendere decisioni proficue per il futuro. Quale occasione migliore di una moglie come Carmen, che oltre a essere un ottimo trampolino di lancio per la carriera, era anche bellissima, spigliata, caustica quanto lui nel giudicare il piccolo mondo putrefatto che li circondava?

Doña Mercedes non aveva aperto bocca. Teneva lo sguardo fisso sul ricamo e fingeva di essere assorta nell'andirivieni dell'ago e del filo, ma il subbuglio dentro di lei era tale da renderla insensibile persino alle frequenti punture che si infliggeva, rischiando di sporcare di sangue il lino immacolato della federa. Il generale Mondragón era attonito, misurava il salotto a lunghi passi e intanto rifletteva, ponderava, valutava i pro e i contro. Nonostante i timori di Carmen, suo padre non trovava così disdicevole il fatto che sposasse quel giovane cadetto ambizioso. Lei si era preparata a sostenere uno scontro estenuante e senza esclusione di colpi. Non gliene importava più niente della benedizione dei genitori, disprezzava sua madre e non sopportava più la convivenza con i fratelli. E in quanto al padre, voleva sposarsi anche per sfidarlo, per sancire un distacco. Ferirlo le spezzava il cuore. Ma sentiva che obbedirgli avrebbe significato assecondare un sentimento inconfessabile, da cui doveva assolutamente affrancarsi.

Avrebbe sposato Manuel per continuare ad amare Manuel.

Il generale ragionava: Carmen era in età da marito, gli anni volavano con una rapidità annichilente e lui stava scivolando verso un limbo d'incertezza. Presto la situazione sarebbe precipitata e sistemare la figlia, renderla autonoma come moglie di un giovane di belle speranze, significava anche renderla meno vulnerabile.

"Io lo amo," mentì Carmen, ai genitori e a se stessa.

Aveva lanciato un'occhiata alla madre, che continuava a ricamare disperatamente, evitando di incrociare lo sguardo del padre. Il quale, con sua profonda sorpresa, disse a bassa voce, ma in tono fermo e inappellabile:

"Il giovane Rodríguez Lozano gode della mia stima e ringrazio il Cielo che sia innamorato di te. Non ho bisogno di prendere informazioni sul suo conto: è assennato, ambizioso quanto basta a garantirti un futuro, dunque la tua aggressività è fuori luogo".

Carmen, disarmata, non riuscì a replicare. Che stava succedendo? Suo padre le riservava qualche trappola delle sue? Conosceva la sua abilità nell'ordire trame sottili, lasciando credere all'interlocutore che lo stesse assecondando solo per costringerlo a scoprirsi e ghermirlo al primo segno di debolezza. Possibile che si valesse del suo diabolico talento di professionista del raggiro per fare del male proprio a lei, la figlia prediletta?

"La mia perplessità, Carmen, non riguarda il giovane Rodríguez Lozano, sia chiaro, ma la tua precipitazione. Ti vedo troppo entusiasta, troppo determinata. Il matrimonio è una cosa seria e ti esorto a riflettere a fondo. Però condivido la tua urgenza: si può riflettere in tempi brevi, ciò che conta è l'intensità."

Carmen non capiva. Immobile al centro della sala, disse soltanto:

"Io ci ho riflettuto...".

"*Muy bien*. Allora concordiamo un incontro: portalo qui perché possiamo conoscerlo e cominciare a parlare delle nozze."

"*¡Ay, Dios mio!*" esclamò la madre, alzando il dito trafitto per l'ennesima volta dall'ago.

Il generale le rivolse un'occhiata indulgente. Poi disse a Carmen, sfoderando un sorriso ambiguo:

"Di' a Manuel che lo aspettiamo. Se tu e lui sarete d'accordo, annunceremo il fidanzamento, della durata di quattro settimane, e fisseremo la data delle nozze".

Carmen annuì, perplessa. Dov'era l'imbroglio, si chiedeva mentre si ritirava nella sua stanza: da un lato non vedeva l'ora di mettere al corrente Manuel della vittoria su tutta la linea, dall'altro era inquieta. Forse, pensò, suo padre aveva capito quanto fosse vano opporsi, probabilmente era stata così decisa da fargli scegliere la via della concordia, risparmiandosi una battaglia persa. Ma aveva mai perso una battaglia, il generale Mondragón? E nelle battaglie, quelle che affrontava nella vita come sul campo, era talmente abile che l'avversario si accorgeva di avere il pugnale tra le scapole proprio nel momento in cui sorrideva, convinto di aver raggiunto un accordo vantaggioso...

Doña Mercedes posò il ricamo sul tavolino accanto alla poltrona, si succhiò il dito martoriato e si alzò lentamente, fronteggiando il marito con ostentata indignazione.

"Ho sempre accettato le tue decisioni convinta che fossero per il bene della famiglia. Ma ora stento a capire cosa ti passa per la testa."

Manuel Mondragón inarcò le sopracciglia e fece un lungo sospiro rassegnato:

"Siamo sull'orlo del baratro, Mercedes. Ti ostini a non vedere, ma tutto questo," e fece un largo gesto con la mano che comprendeva la loro elegante dimora, "è già destinato al rimpianto e alla nostalgia. Stiamo per perdere tutto. E Carmen non merita di colare a picco con me. Con noi".

Gli occhi di doña Mercedes si velarono di lacrime:

"Ma che dici? Non possono essere così ingrati! Ti devono tutto. Tutto".

Il marito fece un lento cenno di assenso:

"Appunto: Huerta lo deve a me, se si trova dov'è. E di conseguenza mi teme. È nella logica stessa del potere, Mercedes. Chi è al vertice tende a sbarazzarsi di chiunque gli abbia permesso di arrivare lassù. Il potere non si divide con nessuno. Fa parte del gioco, purtroppo".

Doña Mercedes si coprì il volto:

"Un gioco che è costato migliaia di morti! Come puoi parlare così?".

Il generale Mondragón piegò la testa di lato, pensando quanto fosse inutile sprecare il fiato con una moglie che avrebbe fatto meglio a badare alle faccende domestiche, evitando di immischiarsi in questioni troppo complicate per lei. Con voce stanca aggiunse:

"Un mese fa ho provato a fartelo capire: non essere invitati alle nozze della figlia di Huerta è stata un'evidente dimostrazione che il mio destino è segnato. Ora possiamo rendergli la pariglia, almeno agli occhi della città che conta: per Carmen voglio una festa di matrimonio che oscuri quella di Luz Huerta, voglio uno stuolo di invitati, e che non manchino i più influenti lacchè del regime. Si accorgeranno che non sono finito, e che in un futuro forse non troppo lontano potrebbero tornare a riverirmi come facevano finché ero ministro, quei pusillanimi. Huerta ha i giorni contati, e io non sarò qui a condividere la sua sorte quando le orde dei pezzenti entreranno nella capitale. Ho già cominciato i preparativi per non farci cogliere alla sprovvista. Tu comportati di conseguenza, e abitua fin da ora i nostri figli all'idea che presto lasceremo questo paese in rovina".

Amore... Passione... Allora neanche sapevo cosa fossero. Fu la forza della disperazione a farmi aggrappare a Manuel. Per lasciare Manuel, mio padre, sposavo Manuel, quel señorito *meschino e imbelle... Mi piaceva, sì, e mi illudevo che con lui avrei finalmente provato ciò che tutti chiamavano "amore". Fu ridicolo, l'incontro con* mamita *e* papito. *Lei lo squadrava da capo a piedi, lo studiava come si fa con i tori al mercato, cercando di capire se il seme avrebbe dato buoni manzi. Mio padre, invece, sembrava avesse già deciso che quello era l'uomo della mia vita. Manuel, poveraccio, era il meno convinto, al punto che mio padre passò grottescamente dal ruolo di suocero che valuta le sue buone intenzioni a quello di sensale che gli offre la merce migliore del bordello, la figlia prediletta da sistemare in fretta e furia. Tutto si risolse quando Manuel finse umiltà dicendo di non avere una carriera sicura, di non sentirsi all'altezza, di non potermi garantire un futuro e di non avere neppure le risorse necessarie per organizzare un matrimonio "degno del vostro lignaggio", disse proprio così, quel miserabile... Una becera pantomima per sondare le possibilità: lui non sapeva che mio padre si preparava a fuggire come un ladro e voleva capire cosa ne avrebbe ricavato, da quel matrimonio di cui non gli importava niente. Ero semplicemente la chiave per accedere ai piani alti... E mio padre lo rassicurò: avrebbe pensato lui al ricevimento, alle spese, agli inviti, a tutto. In quan-*

to al futuro, gli promise che avrebbe parlato con il ministro degli Esteri in persona, gli doveva dei favori e non poteva rifiutargli niente. "Stai tranquillo, giovanotto, la tua carriera diplomatica è appena iniziata ma ti garantisco che sarà rapida, folgorante..." Che nausea. Io intanto ascoltavo in silenzio, infischiandomene di tutti e tre. Volevo andarmene da quella casa, e volevo soprattutto rotolarmi nel letto con quel ragazzo bello, brillante, dal fisico perfetto, che prometteva ardore e godimento... Manuel sarà anche stato un colto e raffinato figlio di puttana, un giovane ambizioso che mi stava usando per aprirsi la strada, un elegante profittatore dai modi garbati, tutto quel che si vuole, ma... almeno avrebbe apprezzato il mio corpo, di questo ero certa, e il resto non importava. Povera stupida. Mi consolavo all'idea che il nostro sarebbe stato un rapporto puramente erotico, tra due giovani pieni di vigore che non si curavano delle convenzioni e non si amavano, ma avrebbero fatto dell'amore carnale il fondamento della loro unione. Non immaginavo che Manuel, in quanto a violare le convenzioni, a disprezzare i perbenisti, si fosse spinto molto più in là...

7.

"¿QUE PASA, MI HIJA?"

Dalla sera alla mattina, Manuel Rodríguez Lozano si ritrovò titolare di un posto di prestigio al ministero degli Esteri. Quando il cancelliere in persona lo vide dietro la scrivania, non conoscendolo gli chiese:
"E lei chi sarebbe, giovanotto? Non le pare di avere un'età poco adatta a un incarico così delicato?".
"Può darsi, Eccellenza," ribatté imperturbabile Rodríguez Lozano, "ma tra pochi giorni sposerò la figlia del generale Mondragón. Non le ha parlato di me?"
Il ministro, imbarazzato, gli diede un freddo benvenuto e se ne andò, non prima di aver ordinato al suo segretario di fornire al giovane funzionario ogni appoggio necessario.
Le nozze erano fissate per il 6 agosto 1913. I preparativi fervevano. Migliaia di inviti già recapitati, un ricevimento che si preannunciava sontuoso, una sfida vera e propria a quello voluto da Victoriano Huerta per la figlia Luz. Il generale Mondragón si compiaceva per la mancanza di defezioni: sebbene molti degli invitati fossero legati a Huerta, nessuno di loro aveva osato rifiutare e per il 6 di agosto sembravano tutti godere di buona salute, privi di impegni istituzionali o di rappresentanza. Insomma, lo temevano ancora. O se lo tenevano buono per eventuali, future rivincite. Malgrado tutto, il generale Mondragón aveva rapporti con l'industria bel-

lica europea e un progettista di armamenti poteva tornare utile sotto qualsiasi governo.

Mancavano tre giorni al matrimonio. Nella grande casa di Tacubaya si respirava un clima di vibrante euforia: i fratelli e le sorelle di Carmen andavano e venivano dalle sartorie, mentre doña Mercedes convocava legioni di cuochi, pasticcieri, *maîtres de cérémonies* e camerieri, impartendo direttive improntate alla scuola culinaria francese e alle regole del bon ton parigino. Il generale Mondragón si limitava a piegare le labbra in una parvenza di sorriso quando la sentiva storpiare frasi nella lingua che, pensava, avrebbe fatto bene a imparare meglio, se voleva riuscire a governare la servitù durante il non lontano esilio a Parigi.

In una rara pausa di quiete, con doña Mercedes che controllava per l'ennesima volta l'elenco degli invitati e il generale che studiava alcuni dati tecnici relativi a una nuova mitragliatrice inglese raffreddata ad acqua, comparve Carmen: sembrava inebetita, più che sconvolta. Gli occhi trasmettevano smarrimento e angoscia, misti a rabbia e indignazione. Il padre la squadrò di traverso, immaginando una delle solite liti con i fratelli o con le cognate. Doña Mercedes invece intuì subito che era accaduto qualcosa di grave.

"*¿Que pasa, mi hija?*"

"Non mi sposo più."

Carmen aveva parlato in tono dimesso, neutro, come se comunicasse una notizia acquisita, un dato di fatto ineluttabile. E ciò contrastava in modo stridente con l'espressione attonita, di apparente confusione mentale.

Il padre posò i pince-nez sul tavolo e richiuse la cartella con i piani prospettici e le figure esplose della mitragliatrice inglese. La fissò in attesa di capire. La madre si precipitò verso di lei, la prese per i polsi e chiese con voce incrinata da un'imminente crisi isterica:

"Cosa diamine ti è successo?".

Lo sguardo di Carmen era fisso al di sopra della madre, verso un qualche punto imprecisato della tappezzeria.

"A me, niente. Ma non voglio più sposarlo, quello là. Non *posso* sposarlo."

Il generale Mondragón pensò che la moglie stesse per espandersi nella sala come i disegni della mitragliatrice: gli occhi fuori dalle orbite, i capelli proiettati verso il soffitto, la lingua penzoloni... Intervenne con risolutezza: balzò in piedi, la spinse di lato, afferrò Carmen per le spalle e la scosse, poi la costrinse a guardarlo negli occhi prendendole il mento fra le dita.

"Carmen, adesso ci spieghi cosa intendi con quel 'non posso'. Manuel ti ha forse mancato di rispetto? Dimmi, cosa ti ha fatto?"

La risata di Carmen echeggiò acuta, così gelida e artefatta che il padre si irrigidì, sconcertato.

"Casomai, caro papà, cosa *non* mi ha fatto e non mi farà mai... E in quanto a 'mancarmi di rispetto', non so cosa intendi tu, ma quello che gli piace fare di più, be', non credo sia una mancanza di rispetto nei miei riguardi. Io la definirei una mancanza, sì, ma una mancanza assoluta e irrimediabile."

Il generale deglutì, sforzandosi di mantenere la calma.

"Piantala con i giochi di parole, Carmen. Tua madre e io non ci meritiamo questo. A soli tre giorni dalle nozze, non puoi trascinarci nel ridicolo. Qualunque cosa lui abbia combinato si può rimediare, ne sono certo, basta sapere di che si tratta."

"Oh, no, non credo che tu possa rimediare," sibilò Carmen fissandolo con un bagliore malizioso che d'improvviso rievocò nella memoria del padre gli atteggiamenti morbosi d'un tempo. Il generale Mondragón non lo sopportava quel sorriso, ambiguo e crudele. L'avrebbe schiaffeggiata volentieri, ma si trattenne.

"Tu puoi sistemare tante cose, ma questa proprio no, te

lo assicuro," riprese seccamente la figlia. "Neanche se facessi fucilare i cadetti che frequenta, risolveresti qualcosa."

Una sferzata lungo la spina dorsale: il generale rimase immobile, contratto come in preda a uno spasmo, con la sensazione di avere tutti i peli del corpo ritti per una scarica elettrica. No, non aveva capito bene, continuava a ripetersi meccanicamente.

Doña Mercedes aveva capito benissimo. Trasse da parte il marito, lo spinse energicamente verso la porta e gli disse in tono perentorio:

"Aspettami nello studio. Queste sono cose che una madre deve discutere a quattr'occhi con la propria figlia".

Il generale obbedì, capitolando senza condizioni, disorientato dall'inusuale determinazione della moglie.

Una volta sole, la madre fece sedere Carmen nella poltrona, le si inginocchiò di fronte e prese a parlarle con voce forzosamente calma, con appena una leggera incrinatura stridula:

"Figlia mia, prima di dirmi tutto rifletti bene: hai le prove di quello che credi di sapere?".

Carmen la guardò come se la vedesse per la prima volta in vita sua.

"Le prove? Ma che stai dicendo... Non l'ho certo beccato nel bel mezzo di un festino di cadetti nudi, se è questo che intendi."

"Per favore!" strillò la madre. Poi riprese il tono innaturale di prima. "Ti prego, non esprimerti così. Spiegami cosa hai saputo di Manuel."

"Quel che pare sapessero tutti. Lui non prova niente per me. Ma non mi importava che non mi amasse, il problema è che non sa che farsene di tutto questo," e lasciò scivolare la mano dal seno all'inguine.

La madre chiuse gli occhi, appellandosi a tutta la pazienza di cui aveva dato prova nella sua vita mansueta.

"Mi stai dicendo che ti sei offerta a lui e non ti ha... Non..."

Carmen si alzò e si mise a passeggiare per il salotto. Ignorando la madre, prese a mormorare tra sé:

"Avrei dovuto capirlo prima, da come guardava quelli che credevo semplici amici... E tutte le serate trascorse con i suoi inseparabili cadetti, e poi quel cicisbeo dell'addetto stampa, e io, imbecille, a dirmi che un uomo ha bisogno di frequentare altri uomini, che l'amicizia virile è indispensabile, che... Sì, uomini! E in quanto a virili, lasciamo perdere...".

Doña Mercedes batté una manata sul bracciolo della poltrona.

"Basta, Carmen! Avanti, cosa hai visto?"

"Niente. O comunque, nulla che abbia voglia di confidare a te. Quello che conta è che non ho dubbi: io non lo sposo, quel *maricón*."

La madre si mise le mani nei capelli.

"Non pronunciare simili oscenità in questa casa! Svergognata!"

Poi, mutando di colpo atteggiamento, cercò di abbracciare la figlia, che rimase inerte.

Provò a spiegarle che i giovani a volte possono essere un po' *despistados*, l'attrazione per il vizio confonde le idee ai ragazzi e la vita quotidiana nel Colegio Militar era alquanto malsana: Manuel, alla sua età e per colpa delle frequentazioni altolocate, oltre che della breve esperienza castrense, poteva subire il fascino di certe trasgressioni. Ma il matrimonio in fondo serviva anche a questo, a riportare l'ordine nei sentimenti, a spegnere certi fuochi fatui, e comunque stava alla donna correggere storture e false tendenze, convincere un uomo di quanto fosse piacevole l'amore coniugale e di quanta sicurezza potesse infondere. Per non parlare del fatto che, con gli inviti spediti, il ricevimento già organizzato, il vescovo in attesa, tutta Città del Messico ansiosa di vedere la figlia del generale Mondragón sull'altare, poteva scordarsi i ripensamenti, qualunque fosse il motivo, anche il più grave e inconfessabile: solo la morte avrebbe potuto impedire quelle nozze. La morte fisica o quella civile. E concluse:

"Ora ti dico qual è la situazione: o te lo tieni così com'è e con il tempo, e tanta pazienza, riesci a redimerlo, oppure te ne vai in convento. Com'è vero Iddio, da questa casa esci o da sposa di quel damerino, o da sposa del Signore. E nella seconda ipotesi, ti giuro che ti farò sbattere in clausura, dove ti faranno scordare il mondo. Discussione chiusa".

Le foto del matrimonio sono estremamente eloquenti. Sono le uniche immagini di Carmen Mondragón dove non splenda il fulgore dei suoi occhi, prive del punto focale che in ogni altro ritratto colpisce per la straordinaria energia magnetica: lo sguardo è spento, assente. Oscurato da un velo di apatia. In una, di profilo, fissa chissà quale interlocutore, seduta a un tavolino, e sembra implorante, oltre che malinconica. Ancor più triste appare nella foto in posa nello studio, secondo l'usanza dell'epoca: il vestito nuziale la rende goffa, il corpo slanciato è mortificato dal fagotto di pizzi, veli e strascico, il bouquet penzola dalla mano guantata come se stesse per cadere sul tappeto, l'acconciatura è grottesca. Il volto esprime un sentimento di rassegnata disperazione.

Lui, Manuel Rodríguez Lozano, ha l'aria di uno di passaggio, in attesa di tornare alle sue faccende, prestato occasionalmente a una pantomima che non lo riguarda. Nella foto accanto al tavolino Manuel è in piedi e sbircia la sposa perplesso, la fronte corrugata, gli occhi bassi. Come se pensasse: "Cosa tocca fare, per ottenere un po' di considerazione".

8.

TRENTASETTE "ADIÓS"

Nell'agosto del 1913 Città del Messico dimenticò in fretta le sontuose nozze della figlia del generale Mondragón. L'opinione pubblica fu scossa dall'assassinio del deputato Serapio Rendón, che dopo aver tenuto un vibrante discorso alla camera contro Victoriano Huerta fu crivellato di pallottole da sicari inviati dal ministro degli Interni, Aureliano Urrutia, fido compare dell'usurpatore. Intanto, le forze rivoluzionarie di Villa e Zapata, temporaneamente alleate dei costituzionalisti di Carranza, sferravano attacchi incessanti alle truppe federali, assumendo il controllo di territori sempre più vasti. Il generale Mondragón era attento a fiutare il vento; preparava meticolosamente l'espatrio e una sistemazione accogliente nella Parigi che tanto amava, preoccupato da un particolare di non poco conto: il numero dei familiari che lo avrebbe seguito nell'esilio. Tra figli, nuore e nipoti, più qualche zio e cugino, avevano ormai superato la trentina.

Ruppe gli indugi in ottobre. Il senatore Belisario Domínguez, eletto nello stato del Chiapas, fece un veemente intervento al senato accusando Huerta di crimini d'ogni sorta e ricordando che era lui il vero mandante dell'assassinio del presidente Madero, per quanto fosse stato abile a confondere le acque nei convulsi giorni successivi alla Decena Trágica. La sera stessa, un manipolo di scherani agli ordini di Huerta lo prelevò dall'Hotel Jardín, lo portò nel cimitero di

Coyoacán e lo uccise a revolverate. L'indomani, Victoriano Huerta cancellò definitivamente le ultime tracce del fantasma della democrazia: sciolse le camere e fece arrestare ben centodieci deputati. Era la guerra aperta. Un tiranno e il suo esercito contro i rivoluzionari in armi, senza più paraventi nel mezzo. L'insurrezione dilagava.

La famiglia Mondragón si imbarcò alla volta della Francia. Trentasette membri. Ne mancavano due. Carmen e Manuel, che rimasero a Città del Messico.

Come potrei dimenticarlo, quell'addio moltiplicato per trentasette... Trentasette baci su guance mollicce, ruvide, profumate, sudate, rosee, incipriate, pungenti, ripugnanti... Trentasette simboli della vita che odiavo, trentasette motivi in meno di noia mortale... Prima c'erano state discussioni, liti furibonde, imprecazioni, suppliche, mia madre che piangeva come una grondaia sfondata e mio padre che si mordeva i baffi e mi fissava muto. Con lei sono stata molto convincente: ho preso una delle tante pistole di papà, che lui stesso mi aveva insegnato a usare, e me la sono puntata alla testa: "Piuttosto che venire con voi ti rovino la tappezzeria con le mie cervella". Quando ho tirato su il cane con il pollice e ho chiuso gli occhi preparandomi a premere il grilletto, quella donna inutile è svenuta. O ha solo fatto finta. Mio padre è arrivato giusto in tempo per vedermi così, pronta a spiccare il volo dal suo mondo ipocrita, ma non si è scomposto: mi ha sfilato la pistola dalla mano ed è andato a tirare su la sua dolce metà, che disprezzava forse anche più di quanto la disprezzassi io. L'ho sentito sbuffare spazientito, mamita *era un po' ingrassata negli ultimi anni e adagiarla sul letto è stata un'impresa faticosa.*

Sono rimasta delusa. Mi ha fatto male vederlo impassibile, mi sarei sparata solo per fargli dispetto. Per farlo soffrire. Ma che senso aveva suicidarmi, se poi non avrei potuto godermi lo spettacolo del suo dolore... Non ci sono stati altri tentativi per convincermi a partire. Persino quei decerebrati dei miei fratelli hanno capito l'aria che tirava e si sono risparmiati la litania di rimproveri e ricatti. Soltanto uno, il più attaccato alle sottane della chioccia, mi ha detto: "Tu la stai ammazzando, la mamma"... Mi ha fatto pensare, quella frase: in effetti, avrei dovuto puntarla in faccia a lei la pistola, e magari spararle un colpo a due dita dall'impeccabile acconciatura, dandole a credere che volevo farla fuori sul serio. Ma no, meglio così: avevo ottenuto lo scopo, se ne andavano e mi lasciavano sola... Be', con quel manico di scopa di Manuel, certo. Divertenti, i saluti di mamma e papà con il genero: lei ha porto la mano guantata come se dovesse immergerla in un bugliolo, la faccia raggrinzita in un sorriso schifato, evitando di guardarlo, e Manuel, da farsante quale era, gliel'ha sfiorata con le labbra in un impeccabile inchino. Papà invece si è portato il palmo rigido alla visiera sbattendo i tacchi e dicendo stentoreo: "Mi raccomando, giovanotto: giudizio e discrezione". Credeva di umiliarlo, con quel ridicolo saluto militare e l'esortazione a non dare scandalo, come a ricordargli che tutto sommato era pur sempre un uomo e un ex cadetto, ma non lo conosceva, Manuel: la gioia di toglierseli dai piedi gli sprizzava da tutti i pori e potevo immaginare cosa gli passava per la mente mentre li fissava con aria spavalda, consapevole della scarsa considerazione che avevano di lui e proprio per questo fiero di poterli sfidare, stimolato dalla possibilità di ferirli una volta di più nel loro moralismo. Era l'aspetto del suo carattere che apprezzavo di più. Forse l'unico, perché per il resto Manuel mi era indifferente. Però... rispetto alla prima notte di nozze, quando mi ero voltata dall'altra parte fingendo di addormentarmi di colpo e lui non aveva neppure accennato a sfiorarmi, qualcosa era cambiato. Altroché. Quanto ero ingenua, a vent'anni. Quando gli avevo detto che sapevo che certi amici non erano semplici amici, lui mi aveva riso in faccia: "E allora? Cosa cambia? Non amo te come non amo loro, ma questo non ci impedisce di vivere insieme e spassarcela". Prima ero convinta che il mondo maschile si divi-

desse tra veri uomini e veri maricones. *Due universi separati. Non immaginavo neppure quanti ce ne fossero come Manuel, che andavano allegramente con questo e con quella, disinvolti e appagati in entrambi i casi. Sono rimasta come una scema, qualche notte dopo, quando mi ha scopata. Perché non è che facessimo l'amore, per carità, le nostre erano solo scopate, affannose, delicate, incerte, lascive, occasionalmente ardenti scopate: insomma, se stava troppo tempo lontano dai suoi ragazzi, dava il meglio della sua 'ars amandi' anche usando il mio corpo. E dimostrava di goderselo, questo* armónico conjunto, *come lo chiamava lui, di tette, cosce e vagina. Peccato che io non godessi affatto. A malapena un brivido ogni tanto. Ed era questo a rendermi rabbiosa. Possibile che da sola riuscissi a stordirmi di piacere e con lui dentro, invece, niente? Mi faceva impazzire di frustrazione. Tanto che una volta, mentre lui scivolava fuori da me sospirando soddisfatto e io continuavo a chiedermi cosa diamine fosse un orgasmo in due, sono sbottata senza pensarci: "Cosa provi a farti scopare da un uomo? Perché immagino che ogni tanto toccherà anche a te, stare sotto". Mi ha guardata sorpreso, ma solo per poco, perché poi mi ha afferrata per i fianchi e mi ha messa a faccia in giù. "Te lo dimostro subito. Chissà che non ti piaccia più che la solita solfa." Ma non gliel'ho permesso. Mi faceva schifo l'idea che in quel momento potesse pensare a uno dei suoi cadetti.*

9.

IL MIRACOLO DI SAN SEBASTIÁN

I trentasette del clan Mondragón si stabilirono a Parigi. Il generale trovò vari ingaggi come consulente militare presso industrie di armamenti e istituzioni, i compensi erano all'altezza della sua esperienza e, unitamente ai fondi trasferiti all'estero a suo tempo, permettevano ai Mondragón di apprezzare la vita della Ville Lumière. Ma le spie dell'ambasciata messicana vigilavano sulle mosse dell'alleato di un tempo, ora potenziale nemico. Il fatto che Huerta lo avesse lasciato andare non significava che la tregua sarebbe durata a lungo. E il generale Mondragón cominciò a vedere ombre ovunque. Le misure di sicurezza divennero ossessive: dato che il governo francese si era mostrato alquanto scettico di fronte alle sue rimostranze e gli aveva rifiutato la nutrita scorta di gendarmi richiesta, costrinse i familiari a muoversi in gruppi numerosi, a frequentare solo luoghi affollati, a organizzare turni di guardia nella villa affittata in periferia. Senza porsi la questione se il suo fosse un eccesso di paranoia anziché oculata prudenza, il generale decise addirittura di rinunciare alla servitù: le donne della numerosa famiglia erano le uniche a occuparsi degli acquisti, della cucina e di servire colazione, pranzo e cena. Il generale temeva di essere avvelenato.

Intanto, Carmen scopriva quanto fosse ospitale la grande casa di Tacubaya ora che l'aveva tutta per sé. Scriveva, suonava il piano, componeva melodie e soprattutto dipingeva. Non frequentava nessuno: non ne sentiva alcun bisogno. La pittura fu un ritorno di fiamma e, adesso che non era più mediata dalle imposizioni materne, Carmen la amava più che mai. Si appassionò ai colori sulla tela, dimentica delle ore, dei giorni, delle assenze di Manuel, della corrispondenza dei familiari che si accatastava sul massiccio tavolo dalle gambe ritorte dell'ingresso.

Durò quasi un anno, quel paradiso. Quasi si illuse, Carmen, di riuscire a tenere il mondo fuori dalle spesse mura della *mansión* di calle General Cano. Lì poteva dimenticare l'esistenza del clan Mondragón, rimandare giorno dopo giorno la stesura di una lettera rassicurante, ignorare i sempre più insistenti appelli a lasciare Città del Messico contenuti nelle buste abbellite da francobolli francesi... Ma intorno a lei si stava scatenando l'inferno e non sarebbe bastato un solido portone di legno *michoacano* a proteggerla dalla realtà esterna.

Nel 1914 la División del Norte di Pancho Villa conquistava una dopo l'altra le roccaforti dell'esercito federale nello sterminato Nord del Messico. Un'avanzata travolgente, costata centinaia di migliaia di morti. Da sud le schiere di Emiliano Zapata liberavano l'intero Morelos e convergevano verso la capitale. In aprile gli Stati Uniti approfittavano vilmente del marasma per invadere Veracruz: lo sbarco dei marines era stato sanguinosamente contrastato dai cittadini in armi, che sparavano da balconi e finestre. In luglio, perduta ogni speranza, con i soldati federali allo sbando, Victoriano Huerta fuggiva precipitosamente con la sua corte di corrotti, incalzato dalle forze rivoluzionarie. Si imbarcò per l'Europa, ma ben presto sarebbe tornato nel continente americano trovando ospitalità presso i suoi padrini di Washington.

La fuga dell'usurpatore non avrebbe sancito la fine della carneficina. Gli uomini migliori del Messico, che avevano versato il proprio sangue per ristabilire la democrazia, si sarebbero visti traditi da una nascente borghesia avida e smaniosa di conquistare il potere. Villa e Zapata, entrati trionfalmente a Città del Messico, avrebbero rifiutato di trasformarsi a loro volta in tiranni e così il potere sarebbe passato nelle mani di nuovi politicanti fedeli ai vecchi metodi: Venustiano Carranza che scatenava l'esercito contro gli zapatisti ottenendo infine l'assassinio a tradimento del Caudillo del Sur, Álvaro Obregón che conduceva una campagna di sterminio contro i villisti, e infine Plutarco Elías Calles che diventava presidente e per prima cosa offriva la testa del Centauro del Norte come promessa mantenuta nei confronti del governo statunitense, facendogli tendere un agguato quando aveva ormai firmato un trattato di pace.

Ma prima ancora che si avviasse la terza fase di una rivoluzione infinita, con Huerta in procinto di lasciare il paese e gli insorti alle porte di Città del Messico, per i coniugi Rodríguez Mondragón la situazione era divenuta insostenibile. Esauriti i fondi lasciati dal generale, impossibilitati a riceverne altri dalla Francia per il caos dilagante, e per giunta con Manuel esautorato da ogni incarico da un governo che non governava più nulla e nessuno, la scelta era obbligata: Carmen coprì i mobili con teli e lenzuola, sbarrò le numerose imposte, rivolse un muto addio al patio fiorito e alle tele sui cavalletti nel suo studio, si chiuse il pesante portone alle spalle e andò a prendere un treno diretto a nord, con Manuel che la seguiva indolente, assorto nei suoi pensieri. Fu un viaggio massacrante, sino al confine. Ma la strada ferrata, con i villisti che avevano ormai vinto le battaglie decisive, era l'unica sicura in quei giorni, perché i rivoluzionari avevano tutto l'interesse a mantenere il traffico ferroviario; raggiungere il porto di Veracruz sarebbe stato invece molto rischioso, visto che Huerta e i suoi si apprestavano a ritirarsi proprio in quella direzione. Esausti e storditi, Carmen e Manuel raggiunsero finalmente gli Stati Uniti, da dove si sarebbero imbarcati per la Francia.

Carmen non era entusiasta all'idea di convivere con quella tribù infestata da bambini, cani, gatti, canarini e criceti, dove, a eccezione di questi ultimi, facevano tutti un chiasso infernale, ma Parigi... Era la *sua* Parigi, la Parigi dell'infanzia, quando vagava con gli occhi pieni di meraviglia; ora si ritrovava nell'epicentro di un grande fermento artistico e culturale, dove convergevano gli spiriti migliori della sensibilità creativa. Indubbiamente favorita dalla sua bellezza, nonché dai modi spregiudicati e da quegli occhi capaci di calamitare l'attenzione e ammaliare chiunque, Carmen conquistò nel giro di poco tempo tutta Montmartre, divenendo musa ambita e oggetto del desiderio, astro splendente fra geniali talenti.

Inizialmente Manuel la seguì più per evadere dall'asfissiante quotidianità del clan Mondragón che per attrazione o interesse: si sentiva trascurato, e scoprì che l'indipendenza e lo spirito d'iniziativa di Carmen lo facevano suo malgrado soffrire. Ma si guardava bene dal manifestarlo e fingeva di apprezzare la solitudine, celando il senso di abbandono girovagando in quella città estranea e per lui incomprensibile, in attesa di rientrare a casa non troppo prima di lei. Finché un giorno, forse più per tedio che per rivalsa, entrò in una mesticheria; comprò un blocco di fogli da disegno e vari lapis dalla grafite spessa e morbida e cominciò a disegnare: autoritratti, soprattutto. Di lì a poco suscitò la curiosità di un artista spagnolo, talmente entusiasta di quei disegni dalle delicate tonalità di grigio vagamente influenzati dal cubismo, che gli regalò una sua litografia, *El pintor y la modelo*: "Al magnifico disegnatore Manuel Rodríguez Lozano," diceva la dedica. Quell'artista spagnolo era Pablo Picasso.

Intanto Carmen aveva conosciuto un conterraneo, un messicano enorme e sgraziato: a vederlo non gli si sarebbe dato un centesimo, ma bastava che parlasse per intuire quanta travolgente passione gli traboccasse dal cuore; i suoi dipinti, poi, lasciavano di stucco persino i più cinici e smaliziati, e anche Carmen, che aveva ai suoi piedi i più affascinanti bohémien di Montmartre, rimase colpita da quel giovanottone con la faccia da rospo che già al secondo incontro le aveva detto: "Ho chiari in mente i colori per dipingere il tuo sguardo di oceano infuriato, screziato di malva e cieli dell'altopiano, di smeraldi e turchesi aztechi. Ti ritroverò nel nostro Messico in fiamme, dove sto per tornare, ti aspetto laggiù, non mancare, hai un appuntamento con l'eternità di un muro affrescato". Diego Rivera smaniava dalla voglia di prendere un piroscafo e fare ritorno in Messico, da cui si era allontanato per studiare gli affreschi di Giotto e Michelangelo; poi si era spostato a Parigi per affinare la tecnica e respirare l'aria di Montmartre, perché non si poteva non aver vissuto qualche tempo a Parigi se si era pittori o aspiranti tali. Adesso però gli bruciava la terra sotto i piedi, la rivoluzione trionfava e innumerevoli muri nella città sorta sulle macerie di Tenochtitlán languivano anemici e spogli, nell'attesa che qualcuno li trasformasse in vita palpitante, in veicoli della memoria oltraggiata, strumenti di lotta contro l'oblio, racconto corale dell'identità collettiva. Diego Rivera dipingeva sulla tela per tenere in esercizio la mano e guadagnarsi da vivere, ma considerava i quadri oggetti obsoleti, legati a un concetto elitario: sosteneva che l'arte rivoluzionaria doveva essere fruibile da tutti, non relegata in un museo o rinchiusa nella collezione di un privato. L'opera andava condivisa, e concepita per il popolo, per le generazioni a venire: dunque era destinata ai muri, non a un rettangolino di tela incorniciata.

Carmen lo ascoltava rapita, pensando, per la prima volta

in vita sua, che la bruttezza in certi uomini svanisce, se ti aprono il cuore e si lasciano guardare dentro.

"Ci rivediamo a Tenochtitlán, Diego."

Scoppiò la Grande guerra, così grande da oscurare il milione di morti della Rivoluzione messicana. I consiglieri militari prussiani che avevano fornito a Huerta nuove armi da sperimentare sul campo abbandonavano l'ozio temporaneo per mettere a frutto le esperienze maturate a sud del Río Bravo. E mentre la famigerata Berta minacciava di colpire la stessa Parigi con i suoi obici devastanti, il generale Mondragón diede l'ordine di togliere l'accampamento. Senza aspettare di vedere se la controffensiva della VI Armata al comando di Maunoury fosse in grado di respingere al di là della Marna le divisioni tedesche lanciate all'attacco da Von Moltke e ormai giunte a pochi chilometri dalla capitale, i trentanove "esiliati messicani" varcarono i Pirenei e si stabilirono a San Sebastián, dove il patriarca aveva preventivamente preso contatti per procurarsi una nuova magione e nuovi ingaggi da esperto in armamenti.

Nella città basca le sette coppie di coniugi con relativa prole, più i figli del generale non ancora sposati, dovettero convivere tutti nella stessa casa, che per quanto grande era talmente affollata da spingere Carmen a trascorrere buona parte del tempo in campagna: qui dipingeva all'aria aperta, sebbene nei suoi quadri continuasse a catturare i colori del Messico e a ispirarsi alle sue genti, come se nemmeno vedesse i paesaggi che aveva intorno.

Manuel Rodríguez Lozano cominciò a interessarsi anche lui alla pittura, lasciò le matite per i pennelli facendo progressi prodigiosi: aveva scoperto una passione che sarebbe diventata la sua attività per il resto della vita e che lo avrebbe reso celebre. Ma allora, a San Sebastián, Manuel seguiva Carmen con i cavalletti e le tavolozze animato da un sentimento nuovo, da un affetto mai dimostrato prima: con lei era premuroso, sopportava le sue sfuriate senza reagire, aveva spesso lo sguardo sognante...

Si stava forse innamorando di Carmen? No, l'amore non c'entrava, e Manuel continuava a provare interesse anche per i giovani dello stesso sesso. Come prima. Il mutamento riguardava qualcosa di sconvolgente, per lui, una novità che all'inizio lo aveva lasciato frastornato e confuso e poi, con il trascorrere dei giorni, era diventata il suo principale motivo di attaccamento alla vita. Poco prima di lasciare Parigi aveva scoperto che presto sarebbe diventato padre.

Neanche quella volta avevo provato qualcosa. Pochi minuti di agitazione e Manuel era già fuori dal letto, a bersi una coppa di champagne e a fumarsi una delle sue sigarette mentolate, indifferente a me e a tutto, come sempre. Se n'era già scolata una bottiglia, di champagne. Lo adorava. Non badai granché al ritardo. Ero troppo presa dalla pittura, dalle mostre, dalle nottate con gli artisti che ammiravo, dalle interminabili discussioni negli atelier, nei bistrot, nei vicoli e nelle piazzette della città che riconoscevo, che sentivo mia, dove tornavo a provare sensazioni che temevo perdute per sempre... Un mese dopo mi decisi ad andare da un medico. Uscii barcollando, mi girava la testa, non ci credevo. Ero rimasta incinta. Di Manuel. "Il frutto del vostro amore," disse mia sorella Dolores. L'escrescenza di un momento di noia come tanti altri, pensavo io. Senza neanche aver goduto, senza provare niente per il padre di mio figlio, senza sentirmi madre. Vedevo il ventre dilatarsi, il mio corpo che si sformava, i seni che si gonfiavano, i miei seni di cui andavo tanto orgogliosa che si appesantivano e minacciavano di ricadere sul torace... E mi ritrovavo ad assistere all'inarrestabile sfacelo di me stessa in un posto come San Sebastián, che al confronto di Parigi sembrava un cimitero, costretta a rintanarmi in una casa affollata come un pollaio, senza un angolo per me dove restare in solitudine a riflettere su ciò che mi stava accadendo... Cosa diamine ci facevo, io, in quelle condizioni? Come potevo accettare che per dare la vita a uno sconosciuto dovessi assistere a quello scempio? Lo specchio mi rimandava l'immagine dello sfacelo: larga, gonfia, goffa... Irriconoscibile. Non potevo essere io, quella matrona informe. Sembravo mia madre.

10.

IL MISTERO DEL FIGLIO

Quel figlio sarebbe diventato la *leyenda negra* nella vita di Carmen. Nessuno avrebbe saputo appurare quando fosse nato e come lo avessero chiamato. Qualcuno mise persino in dubbio la sua esistenza, il fatto che lo avesse realmente avuto. Ma lo confermano le testimonianze di persone che frequentavano la famiglia Mondragón e che videro Carmen passeggiare per le strade di San Sebastián con un neonato nella carrozzina. Morì pochi mesi dopo la nascita. Manuel Rodríguez Lozano avrebbe sostenuto per il resto dei suoi giorni che Carmen lo aveva ucciso, soffocandolo volontariamente. Per odio nei suoi confronti, secondo lui. Perché rivolgeva le sue attenzioni ad altri uomini e la ignorava, secondo alcuni. In ogni caso, Manuel maturò da allora la convinzione che Carmen fosse pazza, una malata di mente che aveva sempre manifestato tendenze masochistiche e turbe psicotiche sfociate infine nel raptus di violenza su quella creatura indifesa. I familiari mantennero per anni un silenzio omertoso, avvalorando l'ipotesi che quel bambino non fosse mai esistito, finché presero a diffondere la loro versione: il neonato era morto soffocato per disgrazia, sotto il peso di uno dei due genitori, mentre dormiva tra loro nella casa troppo affollata. Il mistero non fu mai chiarito. Il generale Mondragón, in quei giorni drammatici, impose alla coppia di tacere: nella loro condizione di esiliati non potevano permettersi di affrontare un simile scandalo senza gravi conseguenze.

Doña Mercedes tentava di scuotere Carmen che se ne stava seduta in un angolo, piegata in avanti, le braccia strette fra le gambe, lo sguardo smarrito, completamente catatonica. Non reagiva alle urla soffocate della madre, che non voleva farsi udire dagli altri familiari, e rimaneva impassibile anche quando la afferrava per le spalle e la scongiurava di parlare. A un certo punto il generale prese la moglie di peso e la trascinò fuori. Richiuse la porta e, dopo aver lanciato un'occhiata di commiserazione alla figlia, andò a pararsi di fronte a Manuel, che vagava inebetito tra la finestra e il mobile dei liquori, versandosi una dopo l'altra coppe di brandy che vuotava d'un fiato. Il generale gli bloccò il polso, interrompendolo bruscamente nel suo intento di ubriacarsi:

"Ora basta. Piantala di farfugliare e dimmi cosa è accaduto davvero. Per quanto ti sia estraneo il concetto, sii uomo almeno adesso, davanti a questa tragedia!".

Il genero lo fissò con occhi arrossati e gonfi di lacrime, talmente devastato dal dolore e dalla rabbia da non recepire minimamente l'allusione offensiva.

"Me l'ha ammazzato," mormorò. "È pazza. Lei dovrebbe saperlo, che quella è da rinchiudere in manicomio."

Il generale contrasse la mascella.

"*Quella* è mia figlia," sibilò. "E tua moglie."

"Già. E anche la madre del bambino che ha appena ucciso... Si può immaginare un mostro peggiore?"

Manuel Mondragón afferrò per il bavero Manuel Rodríguez Lozano.

"Non ci credo! Dimostralo. Dov'eri tu, mentre lei avrebbe ammazzato il bambino? Te la spassavi con quei pervertiti dei tuoi accoliti, lurido pederasta?"

Sul volto del genero comparve un vago sorriso sprezzante, così tetro da spegnere la furia del suocero.

"Non sapete niente di me. Tutti voi, qui, ignorate chi io sia e non vi è mai importato saperlo. Vi credete persone dabbene, timorate di Dio e morigerate, rispettose delle convenzioni e delle leggi, però... Lei, generale, è l'ultima persona al mondo a potermi giudicare. Basterebbe sentire Carmen che parla del vostro rapporto... Definirlo morboso è un eufemismo."

"L'hai vista farlo?" tagliò corto il suocero.

Manuel abbassò lo sguardo, si strinse nelle spalle, balbettò:

"No... Quando mi sono svegliato lei era lì, che stringeva il bambino... Aveva quei maledetti occhi allucinati, stravolti... Ma ho sentito bene cosa mi ha detto".

Manuel guardò Carmen, che adesso lo fissava: le lacrime le scendevano silenziose lungo le guance, ma gli occhi rimanevano inespressivi.

"Avanti, imbecille, cosa ti avrebbe detto mia figlia?" lo incalzò il generale, sul punto di perdere il controllo.

Manuel distolse lo sguardo da Carmen e sussurrò con un filo di voce:

"'Avrei dovuto ammazzare te.' Questo mi ha detto".

Carmen si levò di scatto. Manuel fece un passo indietro, nel timore che lo aggredisse, mentre il padre alzava un braccio per fermarla. Ma lei voleva soltanto sputare in faccia al marito. Lo schizzo di saliva si disperse sui capelli di lui, che aveva abbassato istintivamente la testa. Poi Carmen si ritirò in camera sua. La madre, che origliava dietro la porta cercando di carpire brandelli di quella concitata discussione, non venne degnata di uno sguardo.

Anche il generale si versò del brandy. Dopo il primo sorso, disse con il tono del militare che impartisce ordini:

"Comunque siano andate le cose, la consegna del silenzio è d'obbligo. Siamo qui in esilio, non dimenticarlo. Sto lavorando per un futuro rientro in Messico, i miei contatti in ambasciata si dicono ottimisti, ma i tempi non sono ancora maturi. Se dovesse spargersi la voce di quanto è accaduto qui, rischieremmo di rovinare tutto. Questa faccenda resta in famiglia, intesi? Una volta tornati nel nostro paese ne riparleremo".

"E se non obbedissi agli ordini, *mi general*?" chiese Manuel, con un'espressione di sfida e un tono beffardo che mandarono in bestia il suocero.

"Te lo dico una volta per tutte: scandalo per scandalo, tanto varrebbe piantarti una pallottola in fronte. Poi, sarebbe la mia parola di generale contro quella di un pervertito. Morto, per di più. Mio genero ha assassinato il bambino, era un individuo abietto e io l'ho giustiziato come meritava. Meglio un processo in Spagna da cui uscirei a testa alta, che l'onore infangato in Messico."

Manuel annuì, e aggiunse con una sfumatura di sconsolato sarcasmo:

"L'onore infangato... Lei ha un singolare concetto dell'onore".

Il suocero strinse i pugni fino a far sbiancare le nocche. Alzò un braccio, ma non per colpirlo; indicò la porta.

"Fuori di qui. E sia chiaro: non ti credo. Se c'è un pazzo in questa casa, quello sei tu, maledetto il giorno che ti ho permesso di entrare nella nostra famiglia."

Manuel uscì senza replicare.

Dopo una breve esitazione anche il generale si affacciò sul corridoio: la moglie non era più lì. Sbucò da una porta sul fondo, spingendo davanti a sé María Luisa, la figlia minore. Rientrarono nella sala e doña Mercedes disse alla ragazza:

"Su, racconta a papà quello che hai visto".

Il generale scrutò entrambe con un'espressione interrogativa.

"Il piccolo non è morto soffocato," disse doña Mercedes,

visto che María Luisa non si decideva a parlare. "Non nel loro letto."

Lui si sforzò di mostrarsi affettuoso con la figlia, che teneva gli occhi a terra, spaventata. Le accarezzò i capelli, le prese le mani fra le sue.

"Non aver paura, Luisita. Raccontami tutto."

Mi sembrò un miracolo. Quando lo vidi uscire da me, quando lo sentii piangere, qualcosa mi si ruppe dentro... Con il sangue e le acque uscirono anche il rancore, il disprezzo per me stessa, il terrore del futuro. Una sensazione mai provata prima: una dolcezza infinita. Quel grumo di carne macilenta, sporco e congestionato, mi si aggrappò al seno e succhiò tutta la mia paura, non mi importava più niente del corpo sformato e irriconoscibile, di come mi vedevano gli altri, del desiderio che era scomparso dagli sguardi degli uomini... Quell'esserino vorace e fragile, il piccolo tiranno che pretendeva per sé tutte le cure e le attenzioni, era diventato il centro dell'universo. Fino a un istante prima lo odiavo. Un istante dopo, avrei dato la vita per lui. Ricordo che lo mostravo orgogliosa in giro per San Sebastián, in quella carrozzina dalle ruote alte, la tendina abbassata perché il sole non lo ferisse, ricordo che a un tratto mi accorsi di aver trasferito su di lui il piacere dell'attrazione, preferivo un complimento al mio bambino alle galanterie dei corteggiatori, ricordo che Manuel era diventato un altro, ricordo quell'improvvisa tenerezza sconosciuta tra noi due, ricordo...

Ricordo un abisso di angoscia: mio padre muoveva la bocca ma io non sentivo cosa dicesse, e poi il disprezzo negli occhi di Manuel, molto peggio dell'odio, un profondo, crudele, inesauribile disprezzo... Ricordo la sua voce, di colpo, come se fossi

riemersa dal vortice di una sofferenza annichilente, e Manuel
che mi accusava di aver fatto una cosa orrenda...

Ma prima, cosa era accaduto, prima?

Non ricordo... So che ci siamo ritrovati sulle scale, l'incanto
si era spezzato, la dolcezza svanita, il rancore dilagava e ci travolgeva, io tenevo il piccolo fra le braccia e lui me lo ha strappato, ha detto che non lo avrebbe lasciato crescere con una pazza in una famiglia di ipocriti, allora io ho tentato di riprender-
melo, il mio scricciolo indifeso, ma lui, Manuel, lo ha stretto
per le gambine, quelle minuscole zampette cicciottelle che co-
privo di baci e a stento mi trattenevo dal mordicchiare quando
lo cambiavo... Dio mio, come abbiamo potuto...

Credo... Penso di ricordare che... Il mio passerotto è caduto
dal nido. L'ho visto rotolare sui gradini, ho sentito quel rumore sordo, come di un frutto acerbo che cada sulla terra battuta,
Dio mio, perché non hai mandato un angelo a sorreggerlo, perché non hai fermato il tempo, perché la sua testolina è rimbal-
zata sul marmo delle scale... Dio, come hai potuto permetter-
lo? No, no... Non ricordo niente. Non voglio ricordare, non
voglio rivedere quegli occhietti spenti, quel faccino esangue...
Non può essere accaduto. Non posso essere stata io.

Ma perché Manuel era così convinto che...

Io non ho ucciso il mio bambino. Ricordo il letto, il cuscino
di raso, il lenzuolo ricamato...

Era ancora buio. Mancava qualche ora all'alba. L'ho messo
a dormire, dopo quello spavento. Un po' di sonno e si sarebbe
risvegliato vispo e sorridente come era prima della nostra lite.
Lo cullavo, lo accarezzavo, e intanto Manuel diceva: "Me l'hai
ammazzato". No, il mio piccolo sta bene, guarda, ora lo sveglio... "Me l'hai ammazzato." E io lo scuotevo, per svegliarlo.

Dio onnipotente, Dio indifferente, se qualcuno avesse svegliato anche me, da quell'incubo, quanto gliene sarei stata
grata.

Avrei dovuto ammazzare te.

11.

"ABANDONADO"

Nel 1921 il clan Mondragón fece ritorno in patria. Tutti, tranne il patriarca e doña Mercedes. Nonostante l'uscita di scena dei suoi principali nemici e dei complici d'un tempo, per il generale Mondragón la situazione non si sbloccava. La serie di sconfitte subite da Huerta nel 1914 lo aveva costretto a espatriare, mentre zapatisti e villisti entravano per la seconda volta nella capitale. Carranza, assunta la presidenza, avviava la repressione dei rivoluzionari che gli avevano permesso di prendere il potere e nel 1919 faceva assassinare a tradimento Emiliano Zapata. Per poi finire a sua volta ucciso da un militare nell'aprile del 1920, lasciando il campo al generale Obregón che diventava così presidente.

Di lì a tre anni anche Pancho Villa sarebbe caduto in un agguato, ordito su precisa richiesta di Washington che pretendeva vendetta per l'unica "invasione" subita nella storia degli Stati Uniti, quando i villisti avevano occupato Columbus, in Texas. La normalizzazione procedeva a tappe forzate, con esecuzioni sommarie e rinnovate illusioni: malgrado gli ex generali tramutatisi in nuova classe politica e le tante promesse tradite, intellettuali e artisti tornavano dall'esilio animati da grandi speranze, con l'entusiasmo e la debordante passione di chi credeva realmente di poter costruire una società nuova, in cui l'arte rivoluzionaria avrebbe giocato un ruolo determinante. In questo erano sostenuti da un personaggio che avrebbe segnato profondamente la vita culturale del paese, e in particolare di Città del Messico, negli anni venti: José Vasconcelos.

Dopo aver sostenuto il presidente Madero e successivamente combattuto con i villisti, Vasconcelos aveva aderito alla Convención de Aguascalientes, quando zapatisti e villisti si erano riuniti per sancire la difesa dei princìpi rivoluzionari contro la deriva reazionaria di Carranza. Poi, con spirito pragmatico, Vasconcelos si era avvicinato ad Álvaro Obregón, deciso a sfruttare l'occasione per mettere in pratica quel rinnovamento della cultura messicana di cui intuiva le enormi potenzialità. Ricevuto l'incarico di ministro della Pubblica Istruzione nel 1920, Vasconcelos si dedicò con totale abnegazione al suo progetto. Istituì il dipartimento delle Culture indigene, avviò le missioni di alfabetizzazione in ogni angolo della sterminata repubblica, organizzò una miriade di biblioteche popolari e fondò numerosi istituti tecnici dando contemporaneamente un impulso vitale alle università, varando leggi che aprivano gli atenei alle classi meno abbienti e garantendo a tutti il diritto all'istruzione. Inaugurò la prima Esposizione del Libro, di fatto l'antesignana delle fiere librarie nel continente latinoamericano, e in campo artistico fece propri i princìpi dei pittori muralisti sull'opera pubblica e non più destinata alle collezioni private: Diego Rivera, José Clemente Orozco, David Alfaro Siqueiros e tanti altri muralisti si videro firmare contratti della durata di diversi anni per realizzare affreschi nei principali palazzi governativi, scuole, conventi adibiti a biblioteche, ovunque vi fosse un muro libero su cui fissare la storia del Messico, finalmente narrata dai messicani ai messicani, restituendo la dignità agli sconfitti della Conquista e dei successivi colonialismi, agli umili che fanno la storia senza mai comparire nella memoria dei posteri. Con Vasconcelos ministro, la cultura non era più retaggio esclusivo delle classi dominanti. E uno stuolo di menti fertili e cuori infiammati invase la capitale, stranieri attirati dal clima effervescente del Messico postrivoluzionario e messicani che tornavano dall'esilio in un tripudio di creatività al limite del parossismo.

Ma per il generale golpista Mondragón, per quanto abile nel defilarsi al momento giusto, l'agognato permesso di rientro non arrivava. Si era reso responsabile dell'ascesa del più abietto degli usurpatori e nessuno lo aveva dimenticato. Victoriano Huerta passava da Parigi agli Stati Uniti e Mondragón restava intrappolato a San Sebastián, preda di tremendi dolori alla vescica che avevano cominciato a martoriarlo. Nessun componente della numerosa tribù Mondragón sospettò che il generale, ormai sessantunenne, si fosse convinto che difficilmente avrebbe rivisto il suo Messico. Gli abbracci a figli, nuore, nipoti e cugini, per Manuel Mondragón avevano l'amaro sapore dell'addio. Neanche Carmen se ne accorse. Pensò che il velo di malinconia nello sguardo del padre fosse rimpianto per non potersi imbarcare insieme a loro, non intuì che quel volto contratto e quella mascella serrata erano la maschera stoica dietro la quale nascondeva una sofferenza letale: il cancro lo stava consumando.

"Ti aspetto a Tacubaya," gli disse asciugandosi una lacrima, stizzita per essersela lasciata sfuggire. Si imponeva un freddo distacco ma l'affetto, pallido erede della venerazione di un tempo, prevalse. Carmen lo baciò sulle guance e lo strinse forte, vincendo per pochi istanti il rancore: il dispotico patriarca si era fermamente opposto all'idea che lei e Manuel divorziassero, malgrado l'inferno della loro vita coniugale si protraesse fra lampi d'ira e crisi depressive di entrambi. Le aveva strappato la promessa di non divorziare finché lui fosse stato vivo.

Carmen non poteva immaginare che la sua fosse in realtà una concessione: sentiva di non avere molta vita davanti a sé.

Stentarono a riconoscerla, Città del Messico. Carmen rimase frastornata: neanche la Parigi di Matisse, Braque, Picasso reggeva al confronto. E avvenne un fatto paradossale: in quello stesso anno, il 1921, Carmen e Manuel parteciparono a una mostra. Esposero ciascuno quattro quadri. Manuel Rodríguez Lozano ne scelse uno che si intitolava *Retrato de mi esposa*. Aveva dipinto Carmen esaltandone non solo la bellezza, ma soprattutto la delicatezza: pensava davvero che quella donna fosse l'assassina del loro unico figlio? O averlo sostenuto era soltanto una crudele vendetta contro l'asfissiante famiglia di lei, lo sfogo momentaneo di un uomo che si riteneva incompreso e umiliato per le sue scelte, nonché disprezzato per la depressione che lo opprimeva riducendolo a un relitto per giorni interi? Un altro dipinto si intitolava *El abandonado*. Manuel temeva l'abbandono, dopo nove anni di matrimonio. Pensare di vivere senza Carmen, *malgré tout*, gli infondeva un senso di smarrimento, di perdita incolmabile. In quel quadro c'era tutto il rimpianto per ciò che in realtà non aveva mai avuto: l'amore di lei. Fu una pausa temporanea. Ben presto avrebbe ripreso a dire ai quattro venti che Carmen era completamente pazza, un'infanticida ripugnante, affermando per il resto dei suoi giorni che aveva soffocato il loro bambino. Ricominciò quando fu davvero *abandonado*, e per sempre.

Il 22 luglio 1921 Carmen venne invitata a una festa in una grande casa del quartiere residenziale di San Angel, nella zona sud della capitale. La sua attenzione fu attratta da un uomo corpulento, che svettava sul resto dei partecipanti per la statura e la mole, facendosi notare anche per l'abbigliamento: una tuta da operaio inzaccherata di macchie variopinte, un cappellaccio di paglia e un cinturone dalla cui fondina spuntava l'impugnatura di un grosso revolver. Riconobbe quel volto sgraziato e gli occhi acquosi da rospo.

Lui la osservò come un batrace che si appresti a inghiottire una mosca, poi si illuminò, spalancò le lunghe braccia e si protese in avanti con le manone pronte a stritolarla, fendendo la folla degli invitati con gli scarponi impolverati che rimbombavano sul pavimento di granito.

L'abbraccio fu insospettabilmente tenero, come la sua voce nel salutarla, a conferma che quell'uomo era un'incongruenza vivente: quanto più appariva rozzo e informe, il flaccido ventre debordante e la grossa testa incassata nelle spalle, più si dimostrava delicato e sensibile a chi aveva la fortuna di conoscerlo da vicino. Per la seconda volta, Carmen dimenticò le sue fattezze appena lui ebbe cominciato a parlare, rapita dalla galanteria di Diego e dai suoi modi schietti, di una cortesia innata e mai stucchevole o artefatta. Certo, con gli uomini sapeva farsi valere e il revolver perennemente alla cintura era una palese messa in guardia, ma con le donne, con *qualsiasi* donna, Diego Rivera sembrava sciogliersi, riuscendo quasi a rimpicciolire, mostrandosi per come era dentro: le amava tutte, con dedizione totalizzante e assoluta, illudendosi, convincendosi ogni volta di avere davanti la passione di un'intera vita.

Quella sera Carmen non si accontentò del solo Diego Rivera, come corteggiatore. Conobbe anche un uomo che, suscitando la vigile apprensione del pittore, si insinuò tra loro e conquistò l'attenzione dei suoi occhi verdi, due fari che sembravano illuminare la festa ma che, sia pur brevemente, erano rimasti fissi soltanto su quell'individuo tutto sommato anonimo, poco attraente, con la pelata lucida e la barba arruffata... Ma lo sguardo acceso, magnetico, la voce calda, leggermente roca e profondamente sensuale, una serie di particolari apparentemente insignificanti catturarono Carmen estraniandola, trascinandola in una dimensione rarefatta. Si chiamava Gerardo Murillo, ma a Città del Messico era famoso come "il Doctor Atl".

12.

DUE VULCANI

Abitava nell'ex convento della Merced, adibito ad atelier grazie alla lungimiranza di Vasconcelos, che stimava il Doctor Atl al punto da mettergli a disposizione una dimora degna di ospitare un museo. Quella notte, rientrato alla Merced, Gerardo salì sulla terrazza da cui si dominava la città, passeggiò instancabilmente sotto il cielo stellato, sopra i colonnati secenteschi che incombevano sul patio interno, in preda a una struggente irrequietezza. A un tratto si precipitò giù dalla scalinata, entrò come una furia nello studio, raggiunse la scrivania, aprì il diario e, senza neppure sedersi, scrisse:

Torno a casa con la testa ardente e l'anima trepidante dalla festa che la signora Almonte ha dato nella sua residenza di San Angel. Nel viavai dei saloni affollati, si è spalancato davanti a me un abisso verde come il mare: gli occhi di una donna. Sono precipitato in quell'abisso, all'istante, come se scivolassi da un'alta scogliera cadendo nell'oceano. Un'attrazione strana, irresistibile. Bionda, con una chioma di seta a incorniciare un viso asimmetrico, snella e flessuosa, dai movimenti armoniosi, i seni eretti sotto la camicetta e le spalle eburnee, mi ha abbagliato quando l'ho vista. Ma sono stati soprattutto quegli occhi verdi a stregarmi... Non sono riuscito a distogliere lo sguardo da lei per l'intera serata. Ah, quegli occhi verdi! A volte mi sembravano così grandi da cancellare l'immagine del volto. Irradiavano intelligenza, emanavano fulgori di altri mondi. E adesso... addio quiete nella mia antica dimora, addio volontà di lavorare, serenità di spirito, ambizioni, addio tutto! Sento che sulla mia testa si sta addensando una catastrofe... Ma com'è possibile che un uomo come me possa infiammarsi di passione con una tale violenza? Povero me!

"Un uomo come me"...
A quarantasei anni, Gerardo Murillo si illudeva che il suo cuore fosse protetto da una scorza dura e spessa come lava pietrificata. Quarantasei anni vissuti avventurosamente, senza risparmio di energie, sfidando la sorte con la convinzione di poter piegare il destino sotto l'impeto di una volontà ferrea.

Aveva amato, o creduto di amare, molte donne che non gli avevano lasciato ferite nell'anima; aveva odiato con furore quelli che considerava nemici della Revolución e disprezzato con sdegnosa indifferenza i benpensanti e i moralisti d'ogni risma; aveva sfidato la morte in battaglia e provato la solitudine appagante della natura, smarrendosi fra montagne e vulcani, deserti e altopiani, baratri e gole sperdute nelle regioni più inospitali e spietate della sua terra. Aveva tenuto testa a uomini di stato, dittatori e generali, con una disinvoltura così sfrontata da lasciarli spiazzati, indecisi se fosse un pazzo irresponsabile o un genio.

Nato nel 1875 a Guadalajara, nel Jalisco, lo stato della *mexicanidad* più tradizionale, a soli quindici anni aveva lasciato di stucco il suo maestro di pittura classica, Felipe Castro, dipingendo un quadro della Virgen del Carmen di sorprendente efficacia plastica. Si era trasferito successivamente ad Aguascalientes, nel cuore *norteño* del paese, intraprendendo studi scientifici e ricevendo una sorta di iniziazione alla vita campestre dallo zio Francisco, un minatore che lo portava con sé in escursioni che duravano settimane: da lui imparò ad accendere fuochi, a interpretare i rumori della notte nella boscaglia, a usare la pistola – con parsimonia ma senza esitazioni – e assaporò l'ebbrezza delle prime sbronze e delle conseguenti *crudas*, quando un "vero uomo" dimostra di saper governare il malessere reagendo al bisogno di lasciarsi andare. Con lo zio Francisco Gerardo imparò a conoscere la paura e a dominarla; ma soprattutto apprese che il coraggio non serve a niente senza quel sottile distacco dalle emozioni che permette di valutare i rischi. L'adolescente Gerardo prese l'abitudine di stare lontano dalla città anche per mesi, camminando instancabilmente sui sentieri della Sierra Madre e dormendo sotto le stelle, procurandosi il cibo e l'acqua come e quando poteva. Dipingerli, quegli scenari aspri e grandiosi, fu per lui un atto d'amore incondizionato.

Ma ad Aguascalientes non avrebbe fatto molta strada, nel mondo dell'arte, così decise di trasferirsi a Città del Messico, dove si iscrisse all'Accademia di San Carlos. La passione per la pittura continuava a contendere lo spazio all'interesse per le scienze, in particolare la vulcanologia. Intanto, i suoi maestri lo esortavano a viaggiare: soltanto in Europa avrebbe potuto affinare il suo talento innato. Gerardo decise di seguire i loro consigli, ma c'era un ostacolo apparentemente insormontabile: dove trovare i fondi per pagarsi studi e vagabondaggi al di là dell'oceano? La risolse alla sua maniera. Chiese udienza a Porfirio Díaz, chissà come ottenne di essere ricevuto nel palazzo presidenziale e al cospetto del tiranno, senza alcun timore reverenziale, eruppe in un torrente di parole che lasciò sbigottiti consiglieri e funzionari, abituati al servilismo di quanti accedevano al trono del dittatore per sdilinquirsi in elogi e subdole richieste di favori. Gerardo difese con tale accanimento la necessità di "diventare artista a dispetto delle condizioni economiche", da convincere don Porfirio a concedergli una cospicua borsa di studio. L'indomani era già in viaggio per Veracruz, dove si sarebbe imbarcato alla volta della Francia, con scalo a New York.

Parigi fu un effimero incanto. In realtà, gli ambienti artistici dell'epoca non lo entusiasmarono. Roma gli parve più degna della sua attenzione. Si stabilì dunque nella Città Eterna, visitando spasmodicamente ogni museo, da mattina a sera, e costringendo i guardiani a buttarlo fuori ben oltre l'orario di chiusura. Studiò filosofia e diritto, la sola pittura non gli bastava. Talvolta la usava per procurarsi da vivere: quando restava senza un centesimo in tasca dipingeva un quadro e lo vendeva per strada. Non faticava a trovare acquirenti, perché anche il più banale dei paesaggi, tratteggiato da lui, colpiva l'attenzione degli intenditori.

Arte, scienza, filosofia, tutto lo incuriosiva e tutto voleva approfondire, ma nonostante questa inestinguibile sete di sapere era attento a ciò che gli accadeva intorno: fu così che si ritrovò coinvolto nelle lotte studentesche e operaie dell'Italia a cavallo dei due secoli, provando l'ardore della causa e il dolore delle bastonate e peggio ancora delle "piattonate", quando la cavalleria regia distribuiva colpi di sciabola sui diseredati che chiedevano pane e lavoro.

In quei giorni convulsi conobbe un esagitato diciottenne, che lo impressionò per lo sguardo stralunato e la veemenza dell'eloquio: si chiamava Benito Mussolini, era un maestro elementare romagnolo appena iscrittosi al Partito socialista che stava espatriando in Svizzera per sfuggire al servizio di leva. In poche ore di furibonde invettive anticlericali e antimilitariste, di esaltazione del sindacalismo rivoluzionario e di confuse teorie contraddittorie che mescolavano Sorel, Nietzsche, Marx, Pareto e Blanqui, i due si giurarono eterna amicizia. E quell'italiano avrebbe mantenuto i contatti spedendogli, quando ormai era per tutti il Duce, casse di pregiato Chianti d'annata.

Al termine degli studi universitari, con in tasca una laurea in filosofia ottenuta addirittura in anticipo sul normale corso pagato con la borsa di don Porfirio, Gerardo decise di tornare in Francia. A piedi. Una nuova sfida. Da Roma a Parigi, camminando. Solo così, con le scarpe impolverate e le gambe indolenzite, riteneva che si potessero conoscere i luoghi e le genti. In preda a un'irrequietezza ingovernabile, da Parigi intraprese una nuova avventura: a piedi fino a Madrid, varcando i Pirenei. Macinare chilometri sotto le suole sembrava l'unica maniera per sedare l'inquietudine. E il resto del mondo? Le gambe non bastavano. Fu la volta dei treni. Si spostò in Germania, poi in Inghilterra e quindi in Russia. Passò ai bastimenti: Egitto, India e l'indecifrabile Cina. Anni di peregrinazioni, con il cavalletto e i colori a dargli di che sfamarsi, mentre i passaggi, quando non si intrufolava come clandestino, se li pagava lavorando a bordo.

Su una nave in rotta sull'Oceano Indiano conobbe un naturalista inglese che stava trasportando gabbie di serpenti velenosi catturati dopo mesi di estenuanti e pericolose battute. I due finirono per ubriacarsi. O meglio, si ubriacò l'inglese, perché grazie alla scuola di vita dello zio minatore lui l'alcol lo reggeva bene. A notte fonda il naturalista, barcollante, si era messo in testa di dar da mangiare ai suoi preziosi rettili. Aprendo una gabbia inciampò e questa cadde sul pavimento, liberando decine di serpenti micidiali: dalla stiva risalirono sul ponte, si insinuarono nelle cabine, nella cambusa, ovunque. Quei pericolosissimi rettili rischiarono di scatenare il panico sul bastimento. Il capitano organizzò una squadra di "cacciatori" e incaricò di guidarla Gerardo il messicano: per quel poco che lo conosceva, gli era sembrato un tipo determinato e immune dalla paura.

Prima che riuscissero a catturarli tutti – e molti ne ammazzarono, malgrado le urla isteriche del naturalista inglese – diversi passeggeri e marinai furono morsi e morirono. O almeno è questa la versione che successivamente Gerardo avrebbe raccontato in svariate occasioni.

Nel 1903 rimise saldamente i piedi sulla terra messicana: pensava di non fermarsi a lungo, ma la vita stava per tendergli un agguato. L'amore, l'unica forza della natura in grado di imbrigliare l'inquieto Gerardo Murillo, si incarnò nella cugina di un caro amico, il pittore Joaquín Clausell. Una passione tormentata, vissuta con l'abbandono che gli era proprio e che ben presto assunse il sapore acre della prigionia: di fronte alla prospettiva di sposarsi, di creare un *hogar* – cioè il focolare domestico in cui rinchiudersi, fare figli, lavorare per mantenere la famiglia –, Gerardo scappò sulle montagne, rifugiandosi per circa un anno ai piedi dei ghiacciai che circondano il Popocatépetl. Un modo drastico di troncare il rapporto. A venti gradi sotto zero ritrovò lucidità e ispirazione: il vulcano sarebbe diventato il protagonista principale della sua arte figurativa. Il Popo, in questo caso – detto familiarmente don Gregorio, abbreviato in don Goyo –, e poi tutti i suoi fratelli messicani, colossi che a Gerardo incutevano rispetto: li adorava come esseri viventi, creature capaci di mettere in contatto le turbolente viscere della Terra con la rarefatta immensità del Cielo. E firmava quei dipinti con il nome che lo avrebbe reso celebre in Messico e altrove: Doctor Atl.

Il battesimo in realtà era avvenuto anni addietro, in una tinozza colma di champagne: durante una sbronza memorabile a Parigi, il poeta argentino Leopoldo Lugones, appreso che Gerardo si era laureato in filosofia a Roma, lo aveva insignito del titolo di "doctor", mentre Atl se lo era scelto lui nel pieno di una tempesta scatenatasi una notte sull'Atlantico durante una traversata da New York alla costa francese. Atl, nella lingua náhuatl degli aztechi, significava "acqua". La forza dirompente dell'acqua che non lo aveva travolto ma fortificato nello spirito. L'acqua, fonte di vita e gorgo mortale.

Immerse la faccia nella bacinella di neve sciolta e ce la tenne a lungo, finché la morsa ai polmoni lo costrinse a riprendere fiato. Sollevò la testa di scatto e lanciò una sorta di ruggito: il freddo aveva riattivato la circolazione, l'ultimo velo di sonno era definitivamente dissipato. A torso nudo, si affacciò sulla porta del rifugio. L'alba striava di rosa il seno e il ventre di Iztaccíhuatl, "la donna bianca", che la tradizione popolare aveva trasfigurato nella Mujer Dormida per via del profilo di principessa adagiata sul talamo. Di fianco a lei, il guerriero azteco che gli dèi avevano trasformato in vulcano vegliava sul suo riposo eterno; ogni tanto, con intervalli di secoli, don Goyo provava a svegliarla eruttando fuoco, ma era tutto inutile. Izta non si sarebbe più destata, passata ormai da millenni nella schiera dei vulcani spenti. Gerardo Murillo inspirò l'aria rarefatta e scrutò i boschi della Sierra Nevada, poi i contrafforti del Popocatépetl. Il suo sguardo errò sulla Coronilla, da cui si levava un fiocco di fumo grigio, lambì i contorni del Pico Mayor e, più giù, dell'Espinazo del Diablo. Si soffermò infine sul bianco del Pico del Ventorrillo, che la luce del sole nascente rendeva sempre più abbagliante. Era lassù che sarebbe arrivato. A qualunque costo.

Anche quel mattino Toño si era alzato prima di lui e la cosa lo infastidiva. Lo aveva ingaggiato tre giorni prima ad Amecameca e come guida si era rivelato più che all'altezza del compito. Troppo, forse: dormiva pochissimo, era infaticabile e aveva almeno dieci anni più di lui. Gerardo concepiva quell'ascesa come una sfida, l'ennesima di quella vita che viveva come una continua provocazione, e non sopportava di essere da meno di quell'indio taciturno dal vago sorriso enigmatico eternamente stampato in faccia. Toño lo salutò con un cenno. Aveva già approntato tutto, zaini, ramponi, piccozze, corde. Tolse il caffè bollente dal fuoco. Aveva persino recuperato un fascio di legnetti da lasciare al prossimo escursionista. Chissà dove e a che ora, si chiese Gerardo, visto che sembrava sveglio da tempo.

"Neve sciolta?"

Toño negò con un lento movimento del capo e indicò l'otre di pelle.

"Ah, meglio così," disse Gerardo.

Toño sorrise e andò a sprangare la finestra. Era pronto per partire.

Marciarono per almeno un paio d'ore lungo sentieri di detriti basaltici, poi iniziarono le nevi eterne e arrivarono finalmente al Paso de Cortés.

Gerardo stentava a crederlo. Da lì erano passati Hernán Cortés e i suoi quattrocento avventurieri, provenienti da Cholula. Avevano superato il valico fra il Popo e l'Izta per evitare la strada pianeggiante fatta sbarrare da Montezuma. Cercò di immaginare cosa avessero provato, con le armature addosso e abituati al caldo di Cuba, ad avanzare in quel clima proibitivo e a quell'altitudine che toglieva il respiro. Certo, pensò, nella loro Andalusia c'è la Sierra Nevada, e magari si erano anche illusi che il mondo, a conti fatti, fosse più o meno simile alla Spagna. Un mondo dominato dai più forti, da chi non si arrendeva a simili fatiche, un mondo preda dell'inganno, come avevano dimostrato guadagnandosi l'alleanza di Tlaxcala e vanificando l'agguato di Cholula. Un mondo dove un impero come quello azteco poteva crollare per la forza di volontà di quattrocento avventurieri, per le superstizioni di un imperatore imbelle e per la lingua biforcuta di una donna, la Malinche, l'interprete di Cortés, senza la quale quei quattrocento sarebbero finiti con il cuore strappato già nella sanguinosa notte di Cholula.

Toño lo distolse dalle sue riflessioni tendendo il braccio: indicava lo spettacolo della Cuenca de México, l'immensa vallata della capitale, che Gerardo ammirò in quel giorno terso, pensando alle sensazioni di Cortés, che da lassù aveva visto la Gran Tenochtitlán, risplendente al centro del lago, solcata da canali che brillavano al sole.

Ripresero la marcia verso il rifugio di Tlamacas e, avvicinandosi ai quattromila metri di altitudine, Gerardo si impegnò a pensare a ciò che faceva: doveva controllare il respiro, mai distrarsi e ritrovarsi con l'affanno. Dosare il ritmo per tenere a bada la tachicardia. Toño si fermava ogni tanto e lo guardava. "Tutto bene," faceva segno Gerardo, imprecando tra sé. Odiava manifestare debolezza in presenza di chiunque, fosse anche un uomo infinitamente più esperto e avvezzo di lui alle arrampicate oltre i quattromila.

Ma la frustrazione più cocente l'avrebbe provata di lì a tre ore, durante una sosta. Gerardo stava lottando con il cuore che sembrava voler sfondare il torace e schizzar fuori quando a un tratto, come sorto dal nulla, si vide venire incontro un uomo anziano: scendeva a balzelli trattenuti, agile sulle gambe rinsecchite, coperto appena da uno *huipil* di lana grezza, i piedi avvolti in pezze nere, protetti da *huarache* di cuoio – "Sandali!" pensò Gerardo, "io ho un paio di scarponi norvegesi che mi sono costati un occhio e appena mi fermo sento le dita dei piedi intorpidite, e questo scende dal vulcano con un paio di *huarache!*" –, e i polpacci nudi, che a Gerardo sembrarono di quarzo, tanto erano duri e lisci, quasi trasparenti, le vene in rilievo e la pelle glabra conciata da migliaia di chilometri macinati su quelle altitudini. L'uomo li salutò con un inchino cerimonioso e continuò a scendere.

"Da dove diavolo viene?" chiese Gerardo.

Toño guardò verso il cono di don Goyo e si limitò a fare un cenno con il mento in quella direzione.

"Mi prendi in giro? Vuoi dire che è arrivato fino al cratere in quelle condizioni? A cinquemila e quattrocento metri?"

Toño annuì. Disse a bassa voce, come in segno di rispetto: "*Tiempero*. Lui è un *tiempero*".

Gerardo lo guardò aspettando che si spiegasse. L'altro si strinse nelle spalle, quasi a voler dire che ci sono cose, a questo mondo, che i bianchi non capiranno mai.

Quando la difficoltà di avanzare sul ghiaccio li costrinse a una nuova sosta – costrinse Gerardo, per la precisione, perché la guida non mostrava segni di stanchezza – si decise a chiedere:

"Che significa *tiempero*?".

Toño spaziò con lo sguardo fra il cratere e i crepacci intorno, poi finalmente rispose:

"A ogni nuova semina e a ogni nuovo raccolto, il *tiempero* porta le offerte del villaggio a don Goyo. Se don Goyo gradisce, manderà buone piogge e buona cenere, che rendono fertile la terra".

"Ma come diamine fa a raggiungere il cratere e tornare indietro senza che gli si schianti il cuore?"

"Lo faceva suo padre, e prima di lui il padre di suo padre," e Toño fece volteggiare la mano come a voler indicare le generazioni che si perdevano nella notte dei tempi.

Ripartirono. Quello era stato il discorso più lungo fatto da Toño nei tre giorni di forzata convivenza.

Superato l'avamposto di Tlamacas, raggiunsero il rifugio di Teopixcalco, dove avrebbero trascorso la notte. Consumando una cena frugale davanti al fuoco, Gerardo si lasciò andare a una considerazione fra sé e sé. Toño lo osservava come se lo ascoltasse.

"Teopixcalco. Teo... Teo... Uno dei grandi misteri dell'umanità. Teotihuacán, la città degli dèi, che era già stata abbandonata all'avvento degli aztechi. E molto più a sud, nel Chiapas, c'è persino una Teopisca... Ovunque in questo paese ci sono luoghi che iniziano con 'Teo'. Sia in náhuatl che in maya, due lingue diversissime tra loro, e prima ancora presso i toltechi e forse addirittura gli olmechi, di cui sappiamo poco o nulla. Com'è possibile che Teo indichi qualcosa legato alle divinità anche nelle civiltà europee? Millenni addietro non vi fu nessun contatto, eppure Teo era comune ai maya come ai greci, agli aztechi come ai latini. Teologia, teocrazia, là c'era Teos patria di Anacreonte e qui il Teocalli che era 'la casa di Dio', cioè il tempio sulla piramide. È affascinante."

Toño aggiunse un ceppo al fuoco. All'improvviso Gerardo si sentì ridicolo, come qualcuno sorpreso a parlare da solo, e decise di coricarsi.

L'indomani si svegliò che era ancora buio. Toño entrava

nel rifugio in quel momento: aveva riempito l'otre e le due borracce. Non doveva essere lontana la sorgente, se a quell'ora era già di ritorno. Gerardo si vestì in fretta e verso le quattro del mattino i due si misero in marcia. Superando quota quattromilacinquecento i gesti di Toño divennero sempre più lenti e calibrati, Gerardo si sforzava di imitarlo per risparmiare anche lui il poco ossigeno disponibile. Alle prime luci dell'alba si fermarono a guardare il panorama, il minimo indispensabile perché il sudore non si raffreddasse troppo: da lassù si poteva ammirare il Ventorrillo, a quattromilasettecento metri.

"Quello è un ghiacciaio," disse Gerardo come se annunciasse una scoperta.

Toño fece una smorfia, quasi a dire "*me da igual*".

"Ma sì, neve o ghiaccio per te fa lo stesso, ignorante," mormorò tra sé Gerardo.

Quel giorno non si risparmiarono. Persino Toño sembrò sentire la stanchezza. Gerardo pareva un invasato, si arrampicava sul ghiaccio, lo prendeva a colpi di piccozza staccandone campioni che poi abbandonava, indicava i crepacci ed esclamava: "Saranno almeno trenta metri di profondità! Questo è un ghiacciaio, non semplici nevi accumulate in inverno come hanno scritto quegli sprovveduti di Aguilera e Ordóñez. Questo è un ghiacciaio!".

L'indio annuiva, stringendo le cinghie dei ramponi. Pensava che l'altitudine rendesse euforico il giovane *ciudadano* e si preoccupava di come sarebbe diventato più avanti, dove l'aria non era solo rarefatta.

Dalla Barranca del Ventorrillo passarono sotto il ghiacciaio nordoccidentale e infine raggiunsero quello sul lato nord, che finisce nella Barranca Central. Gerardo notò che il ghiaccio aveva uno spessore piuttosto limitato, tanto che non finiva in cascata nella gola sottostante. Ma era pur sempre un ghiacciaio, dunque il Popo ne vantava almeno tre.

Preso dall'entusiasmo, volle convincere Toño a salire, ma l'indio scosse la testa, irremovibile.

"Che ti prende? Sei stanco? Forse avrei fatto meglio a seguire un *tiempero.*"

La provocazione non scalfì la guida. Si portò la mano davanti al volto, fece vibrare le dita all'altezza del naso e quindi descrisse un ampio cerchio come a indicare l'aria intorno.

"L'odore," disse.

Gerardo non capiva.

"Che odore? Io non sento niente."

Toño sospirò: peggio, se non sentiva.

Si voltò e iniziò a tornare sui suoi passi.

"Aspetta! Dove credi di andare?"

L'indio gli fece cenno di seguirlo.

"No, siamo arrivati fin quassù e voglio raccogliere altre prove sui ghiacciai. Non possiamo tornare indietro proprio adesso. Ti ho pagato in anticipo!"

L'agitazione gli annebbiò la vista. Gerardo si sedette su uno spuntone di ghiaccio e tentò inutilmente di rimettere a fuoco la figura di Toño che fluttuava e svaniva nel biancore azzurrino. Gli girava la testa e le forze sembravano abbandonarlo rapidamente.

Toño tornò indietro, lo afferrò per le ascelle e lo rimise in piedi.

"Stanotte sarai morto, se non vieni via da qui."

Gerardo, barcollando, si incamminò. Si appoggiava alla spalla dell'indio per non inciampare.

I vapori sprigionati dalle fumarole alla base del ghiacciaio nord sono letali se respirati troppo a lungo. Gerardo non avrebbe fatto tesoro di quell'insegnamento e in futuro non si sarebbe curato di prestare attenzione all'olfatto nell'esplorare altri vulcani. Ma quella volta si salvò e iniziò così una carriera di vulcanologo destinata a dargli grosse soddisfazioni: fra l'altro poté vantarsi di essere stato il primo a sostenere che quelli tra il Popocatépetl e l'Iztaccíhuatl sono veri e propri ghiacciai, e non nevi cadute nel periodo invernale. Per lui era un punto d'onore, quasi un vanto patriottico: si trattava di dimostrare che quelli erano i soli ghiacciai del pianeta a sorgere alla latitudine 19° nord, cioè fra il Tropico del Cancro e il Caribe, sulla stessa linea che in Africa percorre il deserto del Sahara e in Asia passa da Bombay, Ventiane e Luzon. Per lui era l'ennesima dimostrazione dell'unicità del Messico, la riprova del vecchio detto "Como México no hay dos". Anche in fatto di ghiacciai.

Tornato ad Amecameca recuperò tele e colori, trovò una baracca in affitto sulle falde di don Goyo e si mise a dipingere come una furia, giorno e notte, dimenticandosi di mangiare e dormendo solo quando crollava sfinito. In quanto alle escursioni, ne fece molte altre da solo per dimostrare a se stesso prima che al resto del mondo che privazioni, fatica, altitudine, mancanza d'ossigeno, miasmi venefici, nulla può fermare il Superuomo se questi ha deciso di ottenere un risultato.

Il Doctor Atl, al pari di tanti altri artisti del suo tempo, maturò la convinzione che il patrimonio culturale messicano fosse una sorta di immensa brace soffocata dalle ceneri di almeno quattro secoli. Occorreva liberare quelle energie e dimostrare al mondo che l'arte messicana possedeva radici capaci di assorbire le inquietudini della modernità e di esprimerle con connotati originali. I canoni della critica europea erano soltanto catene da cui affrancarsi. Era l'inizio di una rivoluzione culturale che avrebbe marciato di pari passo con quella sociale.

Nel 1910 Porfirio Díaz, così affascinato dallo sfarzo europeo da sperperare le finanze dello stato per ricreare brandelli d'Italia e di Francia nel cuore della capitale messicana, inaugurò una grande mostra di pittori spagnoli in un ambiente che agli occhi dei giovani artisti ribelli apparve imbalsamato o, peggio, maleodorante di putredine. Il Doctor Atl all'epoca insegnava arti plastiche all'Accademia di San Carlos. Sfruttando la sua posizione, organizzò una "contromostra" in cui riunì una cinquantina di pittori messicani. Fu la prima esposizione d'arte nazionale, inaugurata con scoppi di petardi e fiumi di *pulque*, per marcare una chiassosa differenza con quella dei compassati pittori spagnoli. Nacque così un movimento culturale a cui, paradossalmente, il Doctor Atl non partecipò.

Mentre il Messico avvampava di insurrezioni e nuove speranze, lui tornava a Parigi, incuriosito dalla possibilità di riprodurre secondo la tecnica impressionista il paesaggio della Sierra e dei suoi vulcani. Ma si teneva al corrente di quanto accadeva in patria e quando Huerta e Mondragón rovesciarono Madero e lo fecero assassinare, il Doctor Atl si prodigò a contattare membri del governo francese e dell'alta finanza per convincerli a non concedere crediti al Messico dell'usurpatore. Lo fece con tanta ostinazione da arrecare notevoli danni al neonato regime huertista. Non pago di ciò si recò a Washington e, spacciandosi per un illustre accademico esperto in questioni economiche, ottenne un incontro niente meno che con il presidente Woodrow Wilson. Ricorrendo all'eloquenza che in altre occasioni aveva dato risultati fenomenali, tentò di convincere Wilson a non appoggiare il governo golpista prospettando sfracelli finanziari e gravi minacce agli interessi statunitensi. Ma pare che la Casa Bianca fosse rimasta muta e sorda di fronte all'accorata concione del giovane artista messicano... Che a quel punto si imbarcò per Veracruz, deciso a fare la sua parte in patria. Si registrò come viaggiatore italiano, sotto le mentite spoglie di Giorgio Stello, e subì la seconda delusione nel giro di poco tempo: la polizia segreta di Huerta non ci cascò – o forse fu tempestivamente avvertita dai colleghi statunitensi, a conferma che alla Casa Bianca si preferiva Huerta a Madero – e al momento dello sbarco trovò una nutrita pattuglia ad aspettarlo sul molo. Per sua fortuna il capitano della nave riuscì a tenere a bada i militari negando che tra i passeggeri vi fosse l'uomo che stavano cercando, poi il braccato Gerardo Murillo sgattaiolò a terra con il favore delle tenebre e di alcuni veracruzani ferventi maderisti. Infine raggiunse Città del Messico con mezzi più veloci dei suoi instancabili piedi.

Nella capitale si illuse di poter mediare fra le parti, ma nel giro di pochi giorni la polizia gli era nuovamente addosso: il Doctor Atl scampò rocambolescamente al secondo tentativo di cattura. Percorrendo i sentieri sull'amata Sierra arrivò nel vicino stato del Morelos e prese contatto con Emiliano Zapata, animato dall'ingenua convinzione che il dialogo avrebbe ancora potuto sanare le divergenze con Venustiano Carranza e unire i due *caudillos* nella causa comune contro Huerta. La lontananza dal Messico rischiava di renderlo patetico agli occhi dei veterani della rivoluzione: come faceva a non capire che il solco scavatosi fra zapatisti e carranzisti era ormai divenuto un baratro? Il Doctor Atl non si perse d'animo e fece una scelta di campo: si schierò con Carranza, che riteneva più autorevole per condurre la riscossa, e questi lo nominò responsabile del settore Informazione e propaganda. Ebbe fiuto, il vecchio Venustiano, perché in capo a poche settimane il furibondo Doctor Atl fondò un giornale a Città del Messico, chiamandolo pomposamente "Acción Mundial", e quindi un altro a Orizaba, "La Vanguardia". Presiedeva le riunioni di redazione con la pistola sulle ginocchia senza mai perdere di vista la finestra da cui scappare. Per quanto fosse nel mirino delle truppe federali, riusciva egualmente a tenere brevi comizi. Intervenne anche a una riunione di operai nella Casa del Obrero Mundial, dove la maggioranza propendeva per Villa e Zapata: al termine di un infuocato intervento, Gerardo Murillo li convinse a schierarsi con Carranza. Lo aveva descritto come l'unico leader in grado di garantire un avvenire al paese e di promuovere quell'industrializzazione dalla quale loro, gli operai, avrebbero avuto tutto da guadagnare, mentre i retrogradi contadini di Zapata e i facinorosi mandriani di Villa rappresentavano il passato, la zavorra che relegava il Messico ai margini del progresso.

Conquistati gli attivisti dell'unica organizzazione operaia di un certo peso sociale, Gerardo ripiegò nello stato del Veracruz, entrò a Orizaba alla testa delle milizie carranziste e le guidò al saccheggio delle chiese: tutto ciò che era di valore venne razziato e i simboli della fede furono sparsi per strada, crocifissi compresi.

L'ateo "militante" Doctor Atl, artista di grande talento, in politica agiva da sconsiderato e la sua superficialità gli fece commettere il più grave degli errori: sottovalutare il peso dell'atavica religiosità delle genti messicane, l'indissolubile legame con un mondo ancestrale che si manifestava in un cristianesimo delle origini. Pretendere di negarli, l'una come l'altro, avrebbe prodotto lacerazioni e, infine, una nuova guerra civile capeggiata dai cosiddetti Cristeros che sarebbe costata la vita allo stesso presidente Obregón, ucciso a revolverate da un fanatico cattolico. L'ottusità di chi assaltava le chiese e bruciava gli altari avrebbe fornito prezioso carburante alla macchina bellica dei settori più oscurantisti, pronti a cavalcare il malcontento degli umili. Nessuno poteva strappare impunemente il sacro vessillo della Vergine di Guadalupe, gettarlo nella polvere e poi calpestarlo sotto gli zoccoli del proprio cavallo. Proprio come fece il "mefistofelico" Doctor Atl, quasi a voler confermare l'immagine di uomo senza timore di Dio. Quella stessa immagine che lui prediligeva: amava infatti farsi ritrarre dai fotografi in penombra, il volto illuminato dal basso, la barbaccia ispida e gli occhi ardenti, il cranio lucido, l'espressione severa o pervasa dalla "furia creatrice". Il ritratto di un demone accigliato, che Edward Weston avrebbe saputo cogliere di lì a qualche anno con profonda efficacia.

Con il sangue degli zapatisti e dei villisti, il Messico si liberò infine dell'usurpatore Huerta e quando Carranza continuò la sua lotta per il potere mettendosi a massacrare rivoluzionari, il Doctor Atl si unì ai famigerati Batallones Rojos, le truppe carranziste che fucilavano e impiccavano i contadini del Morelos, convinto di servire la patria nata dalle ceneri della Revolución. Tra i giovani artisti che Gerardo Murillo convinse ad arruolarsi nei Batallones Rojos antizapatisti c'era David Alfaro Siqueiros, pittore muralista e, sul finire degli anni trenta, stalinista di ferro.

Giustizia, uguaglianza, diritti umani, "terra e libertà", tutte istanze sacrosante, ma intanto gli dèi burloni avevano messo gli Stati Uniti a confinare con il Messico e un pugno di influenti famiglie a possedere quasi tutto fra il Río Bravo a nord e il Río Usumacinta a sud: alla fine, un uomo pragmatico come il generale Álvaro Obregón, una volta eliminato Carranza alla vecchia, efficace maniera della pallottola in testa, si adoperò per rendere conciliabili le mire ambiziose della nuova borghesia rampante con l'arretratezza del Messico millenario. E poco importava se per alcuni quell'"arretratezza" era in realtà il vero patrimonio culturale del paese: il mondo progrediva a velocità vertiginosa, non si poteva certo restare indietro.

Alla stessa velocità vertiginosa si muoveva il Doctor Atl, che, stanco di diatribe e capovolgimenti, si trasferiva in California a maturare nuove idee artistiche, in attesa che le acque si calmassero almeno in superficie. Quando Venustiano Carranza, in quelli che sarebbero stati i suoi ultimi mesi di vita, entrò in rotta di collisione con Álvaro Obregón, l'ex combattente dei Batallones Rojos sentì l'impellente richiamo della mediazione e per l'ennesima volta si illuse di poter essere utile a sedare gli animi. Tornò in Messico, prese contatti, si sforzò di promuovere un dialogo, ma la situazione era così deteriorata che le truppe di Obregón lo arrestarono, lo sottoposero a interrogatori alquanto brutali e, dopo averlo spogliato nudo, lo misero di spalle a un *paredón*, come si diceva all'epoca, intenzionati a fucilarlo rispettando a malapena le formalità di rito. Il plotone era già sull'attenti quando giunse il contrordine dal generale Obregón in persona e il Doctor Atl, strappato all'ultimo pensiero rivolto agli adorati vulcani che si stagliavano contro il cielo terso della capitale, passò alla penombra di una sordida cella.

Erano tempi così convulsi e confusi che evadere da un carcere di Città del Messico non appariva un'impresa impossibile. Ardua, sì, ma il pittore-vulcanologo, nonché dottore in filosofia, gettato in prigione nudo, riuscì comunque a scappare con l'aiuto di secondini misericordiosi – o lautamente oliati dall'esterno – indossando i vestiti laceri e insanguinati di un contadino che non aveva avuto la sua stessa fortuna ed era finito fucilato.

Ridotto pelle e ossa, l'artista che aveva conferito con i potenti dell'epoca si ritrovò a vagare per la periferia di Città del Messico coperto di stracci, rovistando nella spazzatura per non crepare di fame, in compagnia di bambini cenciosi: gli orfani della rivoluzione. Le settimane divennero mesi e Gerardo Murillo, se mai avesse trovato uno specchio, avrebbe faticato non poco a riconoscersi. Lo riconobbe invece, per sua enorme fortuna, il portinaio del convento della Merced, ex miliziano dei Batallones Rojos, che lo accolse, paradosso del destino, nel luogo dove un giorno il Doctor Atl avrebbe avuto atelier e dimora. Rifocillato e rimesso in sesto, si recò nella tipografia di Rafael Loera Sánchez, che aveva stampato un suo libro di riflessioni scientifiche e prose poetiche: da lui si fece prestare una certa somma per comprare vestiti decenti. Aveva appena riacquistato la baldanza d'un tempo quando, uscito dal negozio di "moda europea a prezzi popolari", si imbatté nell'editore Jesús González, proprio quello del libro pubblicato, che lo invitò a pranzo. Gerardo gli raccontò le traversie degli ultimi mesi e si vide proporre l'edizione in spagnolo di una raccolta di poesie che aveva scritto in francese, ai tempi dorati delle avventure parigine. Detto fatto, l'editore gli mise a disposizione una macchina da scrivere e una segretaria. Una cosa tira l'altra e ben presto la segretaria divenne anche la sua procacciatrice di acquirenti per i dipinti che lui realizzava alacremente nel convento della Merced, vendendoli a turisti e, soprattutto, a politici influenti: questi contatti gli permisero di sanare la delicata situazione di evaso e, passo dopo passo, di entrare in buoni rapporti con il nuovo governo. Finché, con Vasconcelos ministro, la Merced si trasformò in galleria d'arte, sede di esposizioni collettive; in seguito l'intero convento venne assegnato al Doctor Atl come residenza, tranne un'ala che ospitava il museo di oggetti d'artigianato provenienti dalle svariate civiltà indigene della Repubblica federale. La fortuna tornava a sorridergli, e lui, quasi volesse recuperare il tempo perduto in avventure e disavventure – nonché rivalersi della *Pelona*, la morte, che gli aveva fatto sentire il proprio fiato sul collo –, venne preso da un vortice produttivo: pubblicò il catalogo di quadri ispirati dalla passione per la vulcanologia, *Las sinfonías del Popocatépetl*, e partecipò alla realizzazione della monografia *Las artes populares en México* oltre che dei primi volumi della serie *Las iglesias de México*; intanto collaborava alla prestigiosa rivista "México Moderno", allestiva mostre personali, ma soprattutto veniva incaricato da Vasconcelos di affrescare le pareti dei patii interni al Colegio de San Pedro y San Pablo, assieme ai muralisti Xavier Guerrero e Roberto Montenegro.

Fra i numerosi impegni, trovava persino il tempo di frequentare la società acculturata e amante dell'arte; fu così che, in una serata apparentemente simile a tante altre – cioè tediosa, un prezzo sopportabile per coltivare rapporti proficui –, conobbe una donna dagli occhi verde smeraldo, smisurati e morbosamente attraenti come bocche di vulcani. Il Doctor Atl vi precipitò smarrendo il senso della realtà.

Oltre vent'anni dopo quella notte fatidica del 22 luglio 1922 in Messico nacque un vulcano, il Paricutín, che spuntò nel bel mezzo di un campo di mais nello stato del Michoacán. L'unico che l'umanità possa dire di "aver visto nascere". Il Doctor Atl si precipitò ad assistere ai primi vagiti – possenti boati che facevano tremare l'intera regione – rischiando la vita per essersi spinto troppo vicino alle gagliarde eruzioni di quel pargolo che cresceva a vista d'occhio: sarebbe diventato ben presto, dopo aver sepolto sotto colate di lava l'intero abitato di San Juan Parangaricutiro, un gigante solitario al centro della vallata. L'entusiasta pittore-vulcanologo avrebbe pagato a caro prezzo l'inalazione di quei vapori letali. Con una gamba in cancrena, prima di vedersela amputare avrebbe annotato sul suo diario:

"La vita mi ha regalato due vulcani: il Paricutín e Nahui".

Manuel era un bell'uomo, forse il più bello con cui sia stata. E anche l'unico che non abbia mai amato, perché con lui non sapevo neppure cosa fosse, l'amore... Cercavo pretesti per ferirlo, aspettavo con ansia un'occasione per provocare il disastro irreparabile. Ora posso ammettere che, in effetti, in quel periodo ero visceralmente disponibile per puro bisogno di evadere dalla camera a gas del mio matrimonio. Avevo i pori già aperti, attendevo bramosamente di spalancare anche le cosce a chiunque mi offrisse l'opportunità di mandare Manuel a la chingada. Dovevo fargli male, per allontanarlo da me. Uno scandalo, ecco cosa ci voleva per frantumare la boccia di cristallo in cui fluttuavo come un pesce imprigionato: solo sbattendogli in faccia una relazione alla luce del sole, finendo sulla bocca di tutti, sarei riuscita a liberarmi da quel rovo di convenzioni e perbenismo in cui ero impigliata... Una Mondragón non divorzia, solo la morte separerà ciò che... Al diavolo tutti, mio padre compreso. Certo che, quella sera, riuscii a calamitare l'attenzione dei due uomini più brutti che circolassero nella grande casa della signora Fulana de Tal, neanche ricordo come si chiamava, quella stucchevole matrona. E dire che di uomini ce n'erano, e molti mi si presentavano con fare galante, volti interessanti, corpi asciutti, vestiti eleganti... Diego avrebbe potuto vincere un concorso di bruttezza. Ma bastava stargli accanto e scordavi la faccia sghemba, il ventre flaccido, la pesan-

tezza dei movimenti... Possedeva qualcosa di magico, un tono suadente, lo sguardo da sognatore, parlava di arte e di passione rivoluzionaria e allora si capiva come facesse a portarsi a letto tante donne: quelle di cui si diceva in giro non erano certo oche giulive e puttanelle attirate dalla fama del grande artista, no, si trattava delle teste più ardenti e geniali della città, donne fiere e orgogliose, protagoniste e non più succubi, capaci di ridicolizzare i maschi in pubblico se si comportavano da cretini, donne che sapevano guadagnarsi il rispetto per come erano e per cosa facevano... Be', credo sia anche per questo che quell'epoca mi sembra unica e irripetibile. Memorabile. Stavano buttando via tutto il ciarpame di una società putrida, quelle giovani screanzate, stavano creando davvero un modo nuovo e diverso di amare, di godere dei propri sensi, di riappropriarsi del piacere di essere donna... Bellissime, loro. E bruttissimi gli uomini degni di interesse.

Quel tipo pelato con la barbaccia arruffata, che aveva una luce oscura nello sguardo, una specie di voragine voluttuosa, si comportava come se fosse animato da una sorta di morbosa caparbietà nel raggiungere lo scopo... O ero io a vederlo così, a sentirlo come un satiro che teneva la coda nascosta nei pantaloni e gli zoccoli stretti nelle scarpe impolverate... Un demone, sì, il sedicente Doctor Atl mi apparve come un demone che bruciava di desiderio per me. Non mi sfiorò neppure lontanamente l'idea di innamorarmi di lui... Ricordo che, al momento dei saluti, quando mi trattenne a lungo la mano tra le sue sfiorandola con le labbra e mi fissò in modo così esplicito da lasciare imbarazzate le signore intorno, fantasticai senza ritegno su cosa avrei potuto fare sotto e sopra di lui... Però, avvertivo anche una strana energia che mi attirava verso quell'uomo più vecchio di me che, pensai, avrebbe potuto benissimo essere mio padre...

Avevo sposato un Manuel per sfuggire a Manuel. Stavo cadendo nelle braccia di un altro uomo che aveva gli anni di un padre e un nome assurdo. Tornai a casa frastornata, pensando a quanto si rendano ridicoli gli uomini quando sono infatuati di una donna. Il pelato non mi aveva più staccato gli occhi di dosso. Era un po' patetico, in quel suo struggersi dalla voglia di avvicinarsi e dirmi vieni via con me. Diego mi piaceva di più, tutto sommato. Aspettavo un cenno per andare da lui, un biglietto, un incontro di finta casualità, e l'avrei preso su di me con tutto il suo quintale di travolgente amore carnale. Insomma, lasciai fare al destino... Senza immaginare cosa mi riservasse, di lì a una settimana. E magari, chissà, fu davvero casuale quel secondo incontro. Ma esiste veramente il caso?

13.

"QUESTO AMORE È DI UNA POTENZA SOVRUMANA"

La fama di Diego Rivera come tombeur de femmes era pari a quella di grande muralista. Le donne più affascinanti di Città del Messico posavano per lui e, prima, durante o subito dopo essere state immortalate in un affresco, cedevano al suo corteggiamento serrato, galante, irresistibile. In molti casi non si trattava di un assedio, dato che Diego possedeva un indubbio talento nell'arte della conquista. Per di più, si convinceva ogni volta di avere di fronte l'amore della sua vita: lui si innamorava davvero, fulmineamente, perdendo la testa, e una settimana dopo o addirittura l'indomani non trovava assolutamente incongruo reinnamorarsi dimenticando la passione precedente. Da quella sera, per esempio, Carmen Mondragón gli era entrata nel sangue, gli toglieva il sonno, non pensava che a lei e a come portarsela a letto. La amava, ne era certo. E non vedeva l'ora di proporle di posare per l'affresco a cui stava lavorando, allora allo stato di progetto, bozzetti su immensi fogli di carta, prove di colore e di intonaco... Vasconcelos gli aveva offerto ben novecento metri quadri di muri nell'anfiteatro Bolívar della Escuela Nacional Preparatoria. Un'impresa titanica. Nonché una sfida, perché dopo di lui sulle pareti adiacenti si sarebbero cimentati gli altri due astri nascenti del muralismo, José Clemente Orozco e David Alfaro Siqueiros, ingaggiati anche loro da Vasconcelos. Era il primo affresco che Diego Rivera avrebbe realizzato, l'inizio di una carriera travolgente, e scelse di raffigurarvi niente meno che *La Creazione*. Si procurò i migliori collaboratori sulla piazza: Xavier Guerrero, Jean Charlot, Luis Escobar, Amado de la Cueva, Carlos Mérida. Poi si mise in cerca dei modelli. Femminili, ovviamente. Fra le tante amiche e conoscenti scelse non solo le più belle, ma anche le giovani donne più attive nell'ardita demolizione della morale dell'epoca, le più trasgressive, disinvolte, disinibite. Nell'affresco della *Creazione* sarebbero rimaste immortalate le "militanti" del femminismo *ante litteram* della capitale messicana, le protagoniste della frenetica vita sociale nella Città del Messico degli anni venti.

Per ritrarre la *Giustizia* fece posare María Dolores Asúnsolo, che in seguito sarebbe divenuta celebre nel mondo come Dolores Del Río. Per la *Forza interiore*, Lupe Marín, che poi Diego avrebbe sposato – subendone la tremenda, implacabile gelosia – e quindi lasciato per Frida Kahlo. La ballerina del Teatro Lirico Lupe Rivas Cacho per la *Danza*, l'attrice cubana Graciela Garbaloza per il *Dramma*, la studentessa di lettere e filosofia Palma Guillén, con un futuro da diplomatica, per la *Saggezza*, Julieta Crespo de la Serna per la *Prudenza*, la bellezza indigena Luz González per il *Tradimento*... Infine, per dare volto e corpo a ciò che Diego considerava l'espressione più carnale della creatività, la *Poesia erotica*, posò per lui Carmen Mondragón. Un nome che nessuno avrebbe ricordato, fra quanti l'avevano ammirata nell'affresco dell'anfiteatro Bolívar, perché per tutti lei era già, ed è ancora, Nahui Olín.

Erano trascorsi sei giorni dall'incontro nella casa di San Angel, e Gerardo Murillo non aveva più combinato niente. Per la prima volta in tanti anni, dipingere non lo estraniava dalla realtà, non lo assorbiva completamente, anzi, prendeva in mano i pennelli, mescolava i colori, si piazzava di fronte alla tela rimasta a metà dalla settimana precedente... e vedeva due occhi verde smeraldo che lo fissavano. Solo allora si rendeva conto di aver amalgamato sulla tavolozza cristalli, polveri, resine e olio ricreando le stesse sfumature, a volte violacee e altre bluastre, ma sempre con una base invariabilmente simile a quegli occhi di donna. E si odiava, per questo. Non tollerava di essersi ridotto in quello stato. Aveva anche fracassato uno specchio, dando dell'imbecille alla sua immagine riflessa. Provava a scrivere e il pennino rimaneva piantato sul foglio mentre l'inchiostro si spandeva, formando macchie brune nel vuoto siderale della pagina bianca, simili a buchi neri nel cosmo della stupidità umana: l'amore, per il Doctor Atl, il veterano di mille *travesías y travesuras*, era un'emerita scempiaggine, convinto da sempre che i sentimenti andassero dominati, che l'Uomo Nuovo dovesse dimostrarsi capace di usare le emozioni per piegare – modellare, plasmare – il volere altrui finalizzandolo alle proprie mire, altro che finirne schiavo e succube... L'amore, per il Doctor Atl, era roba da *corridos*, ballate popolari per ubriaconi e falliti, pane per deboli e companatico per damerini, e uno come lui, forgiatosi al freddo della Sierra e al calore della lava, cresciuto sulle strade del mondo, temprato dal carcere e reso invulnerabile dalle canne puntate di un plotone d'esecuzione, lui, come diamine poteva perdere il senno a quel modo?

La vide. Non sulla tela o nei colori rimescolati, ma laggiù, al sole tiepido che illuminava di sbieco l'Alameda verso il crepuscolo, una fonte di luce tra le lunghe ombre degli alberi, nell'aria tersa dell'estate sull'altopiano, con il selciato ancora lucido per l'acquazzone pomeridiano... Come era finito lì, a quell'ora, in maniche di camicia e senza bastone da passeggio? Negli ultimi sei giorni gli accadeva spesso di uscire sbattendo la porta o lasciandola aperta, una fuga precipitosa o uno scivolare fuori in stato di trance, con furore incontenibile o con imbambolato cretinismo, cercando nelle camminate estenuanti un po' di requie al fuoco che gli consumava le viscere. Camminava fino a perdere la cognizione del tempo, l'orientamento, l'urgenza insensata, abbandonandosi all'alveare frastornante che gli popolava il cranio lucido, nell'illusione che quel ronzio cessasse aumentando il ritmo dei passi.

E ora il sorriso di lei – malizioso? seducente? sarcastico? una promessa di perdizione erotica o la compassionevole espressione di chi avvista un relitto alla deriva? – e l'occhiata torva del tipo a braccetto – il marito? il cornuto per vocazione? l'eunuco? Lo avrebbe ucciso volentieri, quel pusillanime impomatato, inconsapevole di quale meraviglia avesse accanto –, ora, dunque, che fare di fronte al destino che a dispetto di tante teorie prendeva il sopravvento? Gli mancò il respiro, fu travolto da una vertigine, gli si annebbiò la vista, si odiò ancor più di quanto avesse fatto fino a quel momento, ma tutto ciò avveniva dentro di lui, perché esteriormente la sua immagine era un miracolo del corpo guidato da chissà quali istinti primordiali: sicuro, distaccato, gesti disinvolti... se non fosse stato per quella mano che si portò alla testa per togliersi un cappello che non c'era. Recuperò all'istante, fingendo un cenno quasi a voler dire "ma guarda che casualità". Il marito gli porse la mano, una stretta fiacca e fugace, che corroborò le speranze del Doctor Atl: quel povero smidollato era condannato all'infelicità. Poche frasi di circostanza, parole che si disperdevano nell'aria tersa dopo il temporale, inconsistenti, mentre il corpo urlava: vorrei possederti qui, su quella panchina, o sul prato sotto l'*ahuehuete* secolare, strapparti i vestiti e rotolare avvinghiato a te fin sotto i marmi candidi di Bellas Artes, sorreggerti a cavalcioni del mio ventre su per la scalinata e penetrarti sotto le vetrate variopinte della cupola, farti gridare di piacere finché non crollino i lampadari e si incrinino le sfere di ossidiana.

Hasta luego, Doctor Atl.

Hasta pronto, espero, señora Carmen.

E la coppia proseguì indolente verso il Paseo de la Reforma, lui verso il nulla con la metropoli attorno. Fatti pochi metri, si soffermò di fianco alla statua che più amava fra le tante dell'Alameda, sfiorò con i polpastrelli le curve della fanciulla nuda adagiata in una posa lasciva, invitante, che, anche se a molti ispirava malinconia, per lui incarnava l'ideale dell'erotismo, della sensualità, dell'abbandono. Rivolse un pensiero riconoscente all'artista che l'aveva concepita, scolpendola con un solo braccio perché l'altro gli era stato amputato, divorato da un cancro per i colori tossici che era solito spalmarsi sull'avambraccio anziché sulla tavolozza, per la fretta di veder concluso un dipinto. Era stata l'ultima opera di Jesús Contreras – una scultura quasi in spregio della pittura che lo avrebbe assassinato nel fiore degli anni – e a dispetto del destino che già lo trascinava verso la tomba l'aveva chiamata *Malgré tout*.

La sera il Doctor Atl si ritrovò a scrivere sul suo diario, meccanicamente, senza rendersi conto appieno che intanto era passata una settimana di tormentosa accidia:

Ho trascorso diversi giorni nell'assoluto scoramento, ma oggi l'ho rivista, all'Alameda. Era con il marito, un pover'uomo. Lei mi ha sorriso e io mi sono avvicinato per salutarla. Conversazione insulsa. Mi sentivo frastornato. Inquieto. Non ho trovato altro da dire: vi invito a casa mia, chissà, forse vi interesserebbe vedere i miei lavori...

14.

QUARTO MOVIMENTO

"Un pover'uomo." Con questa definizione impietosa il Doctor Atl liquidava il marito di Carmen. Gli erano bastati quei pochi minuti di "conversazione insulsa" per intuire quanto fosse infelice quella coppia. Lei radiosa, esuberante, spigliata, lui, Manuel Rodríguez Lozano, tetro, insofferente, visibilmente frustrato. La moglie lo ignorava e parlava al singolare come se lui neppure esistesse. Il *pover'uomo* era ormai rassegnato alla separazione, favorita dalla lontananza dei genitori di Carmen che, dalla Spagna, potevano tutt'al più spedire lettere infarcite di severi moniti destinati a cadere nel nulla. Carmen sembrava soltanto aspettare l'occasione propizia per far saltare in aria il castello di carte fatto di convenzioni, obbedienza alla famiglia, perbenismo e ipocrisia. Non fu colpita al cuore dallo sguardo febbricitante del Doctor Atl, neanche in quel secondo incontro *casuale*, ma decise di forzare la mano al destino accettando l'invito...

Pochi giorni dopo bussò al portone dell'antico edificio che occupava un intero isolato tra calle República de Uruguay e calle Talavera. Gerardo Murillo urlò distrattamente: "Sì, scendo!", e andò a vedere chi era con indolenza, senza fretta, sicuro di trovarsi davanti qualche scocciatore o un acquirente di quadri con cui si sarebbe dovuto sforzare di apparire affabile.

Rimase abbagliato.

Carmen era bellissima, ancor più di come la ricordasse nei suoi vaneggiamenti, fasciata in un vestito di seta che modellava i seni liberi, il ventre piatto, le lunghe gambe affusolate. Leggermente imbronciata, dunque ancor più sensuale. Lo salutò con un cenno del capo come se volesse dire: "Sì, sono qui, sola e disponibile". O almeno questa fu la promessa che lui volle leggervi, provando un senso di vertigine. Le baciò la mano e, senza lasciargliela, la attirò dolcemente all'interno dell'atrio. Non cercò parole insulse e la guidò verso la scalinata, in silenzio, su, al primo piano, con la luce che aumentava al pari della tensione, un gradino di marmo dopo l'altro, nell'attesa di una frase decisiva, definitiva. Ma neanche Carmen disse nulla. Giunta nella sala si guardò intorno. Il disordine le parve umano, vissuto, maschile. In contrasto con la vita fin lì condotta, circondata di oggetti al loro posto, come del resto le persone, marito compreso, che occupavano ciascuna il proprio punto prestabilito nella pantomima che andava in scena da anni. E l'odore, un misto di solventi, legno antico, sudore, caffè, alcol, cibi avanzati, fumo rancido, molte diverse componenti per un aroma che evocava in lei il rimpianto per tutto ciò che aveva perduto fino a quel giorno, tutto il tempo sprecato nella gabbia dorata, mentre fuori il mondo vorticava e lei restava a scrutarlo da dietro sbarre sottili, perfidamente sottili e inesorabilmente escludenti. La miscela di umori vitali e profumi aspri la inebriò, quasi fosse la prova tanto anelata che in quel vecchio convento adibito ad atelier la vita pulsava, il tempo rendeva distinguibile un'ora dall'altra e ogni notte celava la promessa di una giornata diversa.

Lui non si preoccupò minimamente del disordine, dei panni sparpagliati ovunque – pantaloni abbandonati sulla spalliera di una sedia, calzini sul pavimento, scarpe rovesciate accanto al letto, come se una forza centrifuga avesse lanciato il guardaroba nello spazio circostante –, e continuò a fissarla, incuriosito e affascinato. Carmen vide una sigaretta sul tavolo e la prese, se la portò alle labbra e attese che lui gliel'accendesse. Gerardo rimase con il fiammifero in mano e quando la fiamma gli scottò le dita si limitò ad agitarlo lentamente in aria, senza precipitazione. Sembrava il corteggiamento fra due animali di specie rara, ultimi esemplari condannati a un'imminente estinzione, che si studiavano guardinghi e al tempo stesso con una sorta di fatalismo, quasi che l'esito del progressivo avvicinamento fosse ormai scontato.

Carmen, sigaretta fra le dita e sguardo svagato, mosse qualche passo verso uno dei tanti cavalletti sparsi nello studio, puntando su una tela che l'aveva colpita più delle altre. Un paesaggio della Sierra con il cielo annuvolato... No, un vulcano, sovrastato dal pennacchio di fumo. Il Pico de Orizaba. Colori straordinariamente nitidi, in primo piano, che degradavano sfumando con la lontananza e dando una sensazione di tridimensionalità, di matericità nella terra, nel ghiaccio, nella vegetazione, nel cielo immenso. Scattò in lei la curiosità della pittrice: come riusciva a rendere così bene le tonalità prodotte dalle distanze, e dove trovava simili colori? Osservò i barattoli, i flaconi, le terre, i pigmenti, il magma di materiali che affollavano il tavolino accanto. Sfiorò con un dito una pasta bluastra, densa, gommosa, la saggiò tra l'indice e il pollice, la annusò. Poi volse lo sguardo indietro e incontrò quello di lui.

"Gli aztechi conoscevano già il petrolio," disse il Doctor Atl avvicinandosi. "Una sostanza che estraevano alle falde del Cerro de Tepeyac. Anch'io me lo procuro lassù. È ben diverso dal comune petrolio che si compra in mesticheria: più denso, quasi vischioso, azzurrino."

Le prese la mano tra le sue e premendo con le dita assecondò il movimento che Carmen stava facendo distrattamente, continuando a massaggiare il colore tra i polpastrelli.

"Senti com'è fluido e al tempo stesso concreto?"

Lei annuì, senza distogliere gli occhi dai suoi. Il contatto delle dita sprigionava una corrente elettrica che faceva fremere entrambi.

"Resine e cera, sciolte nel petrolio naturale, a cui aggiungo terre ed estratti di piante, conchiglie, pollini, tutte cose che già usavano millenni orsono i nostri antenati. Se lo lasci seccare, ottieni un composto che pur solidificando rimane duttile, lo plasmi in forma di lapis, di barretta, e lo puoi usare per stendere il colore senza pennelli né spatole. Così, con la sola forza delle dita..."

E le strinse la mano, portandosela lentamente verso il cuore.

Carmen schiuse le labbra. Abbassò le palpebre, fissandolo in una bruma di desiderio che dagli occhi di lui si riversava nei suoi. I loro volti erano ormai vicinissimi. Il bacio ebbe un inizio incerto, goffo, l'esplorazione di territori sconosciuti con l'avanzare indeciso di chi teme un passo falso, poi prese vigore, lei si premette contro di lui respirando sempre più forte, lui la strinse a sé passandole il palmo delle mani sulla nuca, sul collo, lungo la schiena, sulle natiche, le spinse le dita dentro la carne strappandole gemiti rochi, e intanto bocche e lingue sembravano voler placare in una sola volta sete e fame di tempi immemorabili, e poi l'affanno di togliersi i vestiti senza staccarsi, terrorizzati all'idea di frantumare l'incanto, il sortilegio, a occhi chiusi per impedire alla luce di irrompere nel sogno, trascinandosi a vicenda verso il letto, e si ritrovarono nudi, avvinghiati, e lui cominciò ad assaporare ogni recesso e incavo del corpo di lei, dalle ascelle all'ombelico, dai capezzoli che si sforzò di non mordere alle cosce e infine al ventre dove affondò e si smarrì, riemergendo solo quando lei smise di trattenere i gemiti soffocandoli con il pugno tra i denti e si abbandonò a grida di piacere mai provato prima, e allora lui fece il percorso a ritroso, ritrovò la sua bocca, e ricominciò a baciarla prendendo avidamente possesso di quel corpo rovente, sussultante, scosso da fremiti e sferzate di energia rimasta latente in qualche meandro sconosciuto della mente e delle viscere, e lei per un po' – minuti, ore, l'eternità in un istante – ne seguì il ritmo, ma poi non se ne curò più e si lasciò andare al proprio passo, sempre più veloce, una cavalcata disperatamente prossima alla meta, traguardo sconosciuto che le infuse una sorta di struggente panico, un dolce spavento, senza aspettare di capire cosa stesse accadendo nel corpo altrui, nell'*estraneo* che all'improvviso le parve parte di sé, prolungamento al contrario che penetrava in lei senza limiti di spazio, nella confusione di dolore e piacere, e quando lo stordimento le sembrò assoluto, e sui colori accecanti che balenavano all'interno delle palpebre serrate calò un velo nero, tutto ricominciò da capo, con la dolcezza e l'attenzione a sostituire la cieca voglia di precipitare, di annullarsi, di scoprire il confine tra la sofferenza e il godimento, e allora si guardarono, e lei pianse, finalmente pianse sciogliendo il nodo aggrovigliato delle angosce, dei timori, dei doveri, dei giorni sempre uguali e delle notti insonni, dei rancori e dei ricordi nefasti, e in quell'attimo si illuse di amarlo, perdutamente, senza remore né ritegno, convinta di essere disposta a perdere tutto, dignità compresa, pur di non negarsi niente, pur di allontanare rimorsi, rimpianti e recriminazioni.

"Perché Atl?"

"Significa acqua, in náhuatl. La fonte di vita che scorre tra i monti o sottoterra, che forma gli oceani e la pioggia, che..."

Lei sorrise.

Lui si finse risentito.

"Scusa, ma suona... non so, mi pare severo, un po' troppo serio. E il 'Doctor'?"

"Me l'ha affibbiato un amico, quando mi sono laureato in Italia."

"Io ti chiamerò Gerardo. Per tutti gli altri sei il Doctor Atl, per me solo e unicamente Gerardo."

"Come vuoi. Io però non ti chiamerò Carmen."

"Non ti piace?"

"Carmen Mondragón appartiene ai tempi peggiori, hai un cognome che ho odiato, e allora tanto vale cambiare anche il nome."

Carmen ricevette la pugnalata senza lasciar trapelare nulla. Inghiottì l'amaro e si sforzò di comprendere, di accettare che per molti il suo cognome fosse simbolo d'infamia.

Gerardo si alzò e andò nudo al tavolo grande, quello ingombro di fogli, riviste, giornali, libri, un ammasso informe di memoria e cronaca. Lei lo guardò indaffarato a sfogliare, leggere, frugare, con l'espressione accigliata, *doctoral*, intento com'era a cercare conferma a chissà quale idea gli era balenata nella mente; quando a un certo punto si voltò raggiante, sorreggendo un librone vetusto, consunto, vedendolo così – la parte superiore da professore in procinto di impartire una lezione e quella inferiore da satiro con il pene a mezz'asta – Carmen non riuscì a trattenere una risatina.

"Che c'è?" chiese lui, momentaneamente confuso. Poi si rese conto, guardò in basso scostando leggermente il librone e rise a sua volta. "Scusa, non vi avevo ancora presentati," aggiunse indicandosi il pene. "In effetti, non ce ne siamo dati il tempo."

Si sedette sul letto e le indicò alcune figure del calendario azteco.

"Ecco, è così che ti chiamerò."

Al centro della Piedra del Sol, comunemente conosciuta come Calendario Azteco, c'era il Quarto Movimento, che in lingua náhuatl si chiama Nahui Olín.

"Questa è la data che indica il movimento rinnovatore dei cicli del cosmo. Nahui Olín. Il moto perpetuo. L'energia che irradia luce, riacquista vita, la diffonde intorno a sé. Nahui Olín, il Quarto Movimento. Il potere del sole di muovere l'insieme del suo sistema, gli astri, ogni forma di vita e di morte. Nahui Olín irrompe nel cosmo nel momento che segna la distruzione del Quinto Sole. E dopo Nahui Olín... verranno cinquecento anni di oscurità, prima che possa risorgere la luce del Nuovo Sole."

Carmen lo ascoltava affascinata. All'ultima frase, commentò con un filo di voce:

"Non so cosa verrà dopo Nahui... So cosa c'è stato prima: ombra e tristezza. Assenza. Assenza di amore, di passione, attesa dell'alba per maledire un nuovo giorno".

"Avevo ragione, dunque. Tutto questo appartiene a ieri. Da oggi, Nahui Olín sorge e illumina il miserabile Doctor Atl che aspettava da sempre il suo calore."

Da allora Gerardo Murillo la chiamò Nahui. E lei, illudendosi di amarlo, si innamorò comunque del nuovo nome, usandolo fino all'ultimo dei suoi giorni e ripudiando Carmen Mondragón, la figlia del generale Manuel, la moglie del "pover'uomo" Manuel, la *yegua fina* dei colleghi francesi, la ragazzina che cavalcava nuda nel rancho di famiglia per scandalizzare i parenti. Nuda, del resto, si sarebbe presentata a molti appuntamenti della vita, dai più intimi ai più affollati, in privato e in pubblico, davanti all'obiettivo di una macchina fotografica o di una cinepresa, sulle pareti delle gallerie d'arte, nei libri che avrebbero celebrato un'epoca irripetibile, ovunque potesse affermare: "Ho un corpo così bello che non potrei mai negare all'umanità il diritto di contemplare quest'opera".

15.

LA PERDIZIONE

Trafiggi col tuo fallo la mia carne
perfora le mie viscere
squassa tutto il mio essere
bevi tutto il mio sangue
e con l'ultima goccia che mi resta
scriverò soltanto: ti amo.
Ho paura del mio amore
perché l'immenso sempre spaventa
ma tu dimostri coraggio di fronte al mio amore.
Non vedo più niente
sono una morta di cui nessuno si cura
a cui nulla importa di tutto ciò che esiste
soltanto tu:
tutto l'universo si concentra nel tuo sesso.
Baciami dalla testa ai piedi
voglio il nettare della tua vita
quel nettare inesauribile che sempre ribolle
nel crogiuolo del mio amore.
Io ti offro i miei occhi:
bàgnati nel verde prodigioso dei miei occhi
nuota nella profondità di questo abisso
e mi amerai ancor più.

Nahui e Gerardo presero l'abitudine di scriversi in presenza l'uno dell'altra – soprattutto poesie, che in alcuni casi sarebbero state pubblicate in libri autobiografici, e poi messaggi, riflessioni, persino lunghe lettere –, parlavano poco tra loro e comunicavano con la scrittura. Dalle poesie di Nahui è evidente che in quei primi mesi divampava fra loro una passione incontenibile. Gerardo, in una pausa tra gli amplessi affannosi, scriveva a sua volta:

> Passione che non si accontenta mai dei parossismi della carne, con la lussuria che rotola e ci avvinghia nel letto, lei ha bisogno di altro sfogo, di urlare, di scrivere, scrivere al di fuori della vita dopo essersi saziata di tutto ciò che la carne possa offrire, scrivere forsennatamente come se vivesse in altri mondi. Al di fuori dell'amore, lei è immersa nei segreti del cosmo e verso questi mi trascina. Da quanti giorni, da quanti mesi, da quanto tempo dura questa inestinguibile passione? Chi potrebbe mai contare il tempo che passa vivendo ogni istante nella pienezza della soddisfazione? Spesso, dopo una notte d'amore, bagnata dalla luce del sole nascente, con indosso appena una vestaglia, con quella prodigiosa chioma d'oro scompigliata sulla sua preziosa testa, si siede su un muretto della terrazza e mi scrive, per poi consegnarmi lei stessa la lettera.

Nahui lasciò Manuel senza dargli spiegazioni. La relazione con il Doctor Atl divenne ben presto di dominio pubblico. Suscitò clamori di riprovazione o, più spesso, un'ammirazione venata di invidia; in particolare, erano gli uomini a invidiare il Doctor Atl, travolto dalla più chiacchierata passione erotica che Città del Messico ricordasse. L'ex convento della Merced era un luogo molto frequentato, anche perché lui godeva fama di ottimo cuoco e generoso anfitrione, con una cantina sempre ben fornita di vini europei: in quei mesi agli ospiti capitava non di rado di scorgere Nahui che si aggirava nuda da una stanza all'altra, o sull'*azotea* dell'edificio secentesco dove prendeva bagni di sole, un notevole motivo di attrazione per improvvisati acquirenti di quadri o sfaccendati d'ogni sorta.

Nahui si trasferì portando quadri e colori e si mise a dipingere, per nulla imbarazzata o influenzata dalla notorietà del suo focoso amante. Il Doctor Atl, artista affermato, si sforzò di apprezzare uno stile che in cuor suo non lo colpiva particolarmente, fauve o naïf che fosse, ed evitava commenti o consigli. Anche se nell'intimità si lasciava sfuggire: "Il tuo corpo è la tua opera d'arte assoluta e ineguagliabile: lascia perdere le tele e dedicati ad amare". Lei sul momento, nel "parossismo della carne", non se ne curava, poi, quando si metteva a dipingere, lo faceva per se stessa. Dipingeva come faceva l'amore: cercava il piacere, non si preoccupava di darlo. Quello di lui era fin troppo evidente. Il suo lo conosceva soltanto lei, era un moto ondoso in crescendo con i suoi flussi e riflussi, senza un principio e una fine, e quando lo manifestava apertamente non lo faceva certo per soddisfare le attese di lui – vanitoso come tutti i maschi in amore –, era una scoperta continua, la rivelazione di qualcosa mai neppure sfiorato con Manuel.

"Ma proprio a me doveva capitare in sorte di sposare un *maricón*?" si sorprese a chiedersi una notte, in una rara pausa di quiete silente.

Amavo quel luogo austero, meravigliosamente smisurato, senza limiti di spazio, tutto per noi. Dove potevo trascorrere ore e giorni senza incontrarlo e sentirne la mancanza pur sapendo che era lì, da qualche parte... Per quanta gente venisse a trovarlo, ad acquistare quadri, ad approfittare della sua cantina ben fornita e delle sue doti di cuoco avvezzo alle cucine europee, a me restava la scelta della solitudine: il colonnato moresco del piano rialzato, il vasto salone che usavo come studio, le piccole stanze nel sottotetto, polverose, in penombra, con le mezze finestre assediate dai piccioni, le anguste scale a chiocciola e l'esplosione di luce sull'azotea... Ogni tanto mi veniva voglia di correre su quella distesa di pietra assolata, senza muri né ringhiere, tentata di spiccare il volo sulla città... E correvo, assorbendo il sole, il suo calore benefico. Poi, sudata, mi tuffavo nella cisterna, nuda, e l'acqua gelida era una sferzata di energia. Stavo attenta a non farmi vedere dalle donne che stendevano i panni sui tetti attorno, non perché fossi nuda ma perché quell'acqua era destinata a dissetare buona parte del vicinato...

Amavo quell'immenso patio di granito levigato dai secoli, percorso da chissà quante generazioni di monache silenti, furtive, che immaginavo a capo chino sotto il velo, i corpi imprigionati in tonache mortificanti, lo sguardo basso, il mormorio delle preghiere rivolte a un Dio distratto dal rumoroso mondo

118

che palpitava intorno... Mi piaceva passare le dita sugli arabe-schi delle colonne in stile mudejar, chiedendomi chi fossero i mastri carpentieri venuti dalla lontana Andalusia fingendosi convertiti, mori condannati all'abiura, saliti su una fragile ca-ravella o su un maestoso galeone, in balìa di venti e maree, af-frontando tempeste e abbordaggi di corsari inglesi, per venire qui, nella Nueva España, a costruire un convento per l'eterna gloria di una fede che non coltivavano nel cuore, e mescolando calce e sabbia, polvere di pietre e gesso, modellarono questa magnificenza dell'arte coloniale in ricordo, questo sì eterno, della Mezquita di Córdoba o dell'Alhambra di Granada, a me-moria imperitura della grandiosità araba in terra iberica...

Passavo la mano su quei muri e avevo la sensazione di sen-tire le infinite storie che la pietra mi narrava, storie di indios e di meticci che sotto le direttive dei capomastri andalusi infon-devano qualcosa delle proprie origini in quei bassorilievi, nel-la forma stilizzata dei fiori tropicali, nei volti dei santi ricreati a immagine e somiglianza delle loro divinità vinte e disperse. Mi aggiravo nei saloni spogli e l'eco dei miei passi sembrava evocare voci, sussurri, fruscii di tonache, mormorii di preghie-re, imprecazioni soffocate... Non so se tra quelle mura vi fosse stata sofferenza. Per certo, non la emanavano. Forse perché il vuoto, l'assenza, aveva restituito tutta la bellezza di quel luogo unico, cancellando ogni parvenza di dolori patiti, o di privazio-ni subite. Nulla era lugubre, nell'ex convento della Merced, il sole inondava le stanze e i colonnati, e la notte i fantasmi ri-manevano quieti, almeno finché sono stata lì. Perché le storie di spettri malevoli si sprecavano, spettri che avrebbero addirit-tura ucciso un ospite sgradito... La gente del quartiere non ave-va dubbi: il colonnello era stato strangolato dal fantasma di un frate inquisitore.

Pochi anni prima, quando Gerardo cominciava a prendere possesso del convento, doveva spartire gli spazi con quel tipo strano, un militare controrivoluzionario a suo dire, un colon-nello in pensione che aveva ottenuto il permesso di risiedere lì.

Gerardo lo odiava, per i suoi trascorsi di ufficiale al servizio della dittatura, perché era un personaggio volgare e gradasso, così diceva, ma secondo me perché si comportava da padrone e non tollerava la presenza di un artista invadente, per giunta fanatico anticlericale, anticonformista, "anti" tutto ciò che lui considerava sacro e inviolabile. Non so se i due avessero mai avuto contrasti accesi, scontri diretti. So che una notte il colonnello sarebbe stato strangolato da un fantasma, contro cui sparò diversi colpi del suo revolver. Gerardo fu arrestato, come unico indiziato, ma lo salvò la testimonianza di Ángel, allora custode del convento, che sostenne di aver visto il fantasma... Persino l'attendente del colonnello confermò che quel disgraziato si sentiva perseguitato dagli spettri dei frati. Alla fine, la polizia si accontentò dei rilievi, decretando che le impronte delle dita sul collo del morto non corrispondevano a quelle di Gerardo. Chissà come andarono davvero le cose... Per me, a salvare Gerardo furono le sue conoscenze nel nuovo governo e il fatto che quel tipo fosse disprezzato da tutti. La gente del vicino mercato mise subito in giro la voce che si era trattato di un castigo di Dio. E così la questione venne archiviata, anche se la polizia non poteva certo scrivere sulla pratica "assassinato dal fantasma di un frate inquisitore": si limitò a metterci il timbro "caso irrisolto, colpevole ignoto", o qualcosa del genere.

Allora ero troppo innamorata per sospettare di Gerardo. E comunque, il colonnello era davvero odiato da chiunque, nel quartiere. A distanza di tempo, dopo aver conosciuto Gerardo a fondo, scoprendo quanto fosse privo di scrupoli nel perseguire i suoi obiettivi, ho ripensato all'omicidio del colonnello e non mi stupirebbe affatto se lo avesse strangolato lui. Chissà, magari il colonnello lo aveva scoperto a profanare tombe e non era per niente d'accordo sui metodi disinvolti di Gerardo nel procurarsi da vivere... oppure potrebbero essersi azzuffati per la spartizione del bottino.

Un giorno entrò nella stanza che usavo come studio, stavo dipingendo e lui mi cinse le spalle da dietro. Pensai volesse fare l'amore, e mi voltai per baciarlo. Il contatto con un oggetto freddo sul collo mi fece trasalire. Portai istintivamente la mano sul petto: era una collana di smeraldi. Brillava alla luce obliqua del tramonto, i riflessi mi abbagliavano, si vedeva che erano smeraldi veri. Un po' me ne intendevo, a Parigi avevo frequentato persone che potevano permettersi simili gioielli. Mi ero trasferita lì da qualche mese, nessuno dei due aveva risparmi da scialacquare e sul momento pensai che fosse stato tanto pazzo da spendere l'intero ricavato di un quadro, anzi, di una serie di quadri, per comprarmi quel regalo assurdo... La collana era antica, l'oro brunito dal tempo e le incastonature scurite dalla polvere accumulata, ma non per questo il suo valore diminuiva, al contrario. Gerardo mi portò nei sotterranei del claustro. Là sotto non c'ero mai stata, non mi attiravano le tombe di chi ci aveva preceduto, forse inconsciamente preferivo credere che prima di noi due non ci fosse stato nessuno, ad abitare quel luogo... Mi mostrò una lapide. Lessi un nome di donna, e gli anni 1702-1757. Non capivo. Non volevo capire. Il coperchio era stato rimesso malamente al suo posto, si notavano i segni delle leve di ferro sul marmo, le tracce di mani sudate, i bordi sbriciolati. Mi tolsi la collana e la restituii a Gerardo. Lui la prese, mi fissò e poi scoppiò a ridere. "L'ho lavata bene, cosa ti credi?", e intanto mi guardava come una povera sprovveduta. "Sei così formale da scandalizzarti? Non ti facevo schiava di certi tabù," diceva con un tono da educatore supponente. E poi continuò, infervorandosi: "Le tombe hanno un senso per il ricordo che mantengono vivo, ma in queste hanno sepolto individui che non meritano neppure un brandello di memoria, ricchi sfruttatori che ottennero un posto privilegiato per l'ultimo sonno in compagnia dei vermi, tra salme di preti e suore che spesero la vita a ingannare gli ingenui e a sollazzarsi alla faccia dei fessi che credono in certe superstizioni...".

Mi propinò un sermone dei suoi, sull'assurdità di lasciare simili ricchezze tra le ossa di qualcuno morto da quasi due secoli, su certe usanze inventate dalle classi dominanti per tenere la plebe sotto il loro giogo, sulle religioni oppio dei popoli e così via, fino a dichiarare che l'unica cosa che gli aveva veramente ripugnato era stata una Bibbia, trovata fra le mani di uno scheletro in un'altra tomba: la considerava l'emblema di ciò che più danni ha causato nel mondo dalla notte dei tempi.

Non reagii. Mi tenni dentro quella sensazione indefinibile, un misto di delusione, tristezza, istintivo rifiuto. Allora condividevo tante sue idee sulla religione e sulla falsa morale dei benpensanti, ma quello era troppo: profanare una tomba e poi pretendere che apprezzassi il suo regalo... Ecco perché Gerardo, prima di cominciare a vendere a caro prezzo i suoi quadri, riusciva a condurre una vita al di sopra delle sue possibilità, offrendo cene pantagrueliche a uno stuolo di conoscenti, acquistando tele, colori e pennelli di prima qualità, spesso importati dall'Italia, e poi i vestiti nuovi, i taxi sempre in attesa di scarrozzarlo ovunque...

Anch'io sarei finita in quelle tombe. Il mio ricordo. Perché Gerardo, tanti anni dopo, avrebbe raccontato le sue bravate in una sorta di romanzo autobiografico dove se io sono scomparsa dalla sua esistenza, non così le mie lettere: le ha pubblicate quasi tutte, o almeno le parti che più lo interessavano, spacciandole per cartas de amor trovate nella tomba di una nobildonna sepolta nel claustro della Merced.

Si era fatto mantenere dai cadaveri, e tra i cadaveri ha gettato la memoria della nostra passione, dei nostri giorni, di quel pezzo di vita in comune.

16.

1922

Per Nahui il resto del mondo rimase fuori dalle mura dell'antico convento della Merced. Troppo presa da quella passione, anzi travolta e assorbita totalmente, alternava l'amore alla pittura e alla scrittura: passava dal letto al cavalletto, dal divano alla scrivania, lasciava la penna o i pennelli per rotolare sul pavimento avvinghiata al Doctor Atl – che lei continuava a chiamare Gerardo, almeno nell'intimità –, spalmava tubetti di rosso carminio sul torace di lui mentre aumentava il ritmo ondulatorio dei fianchi, si chinava sulla scrivania per accoglierlo dietro e dentro di sé e intanto non si rendeva conto di continuare a scrivere, oppure rovesciava l'inchiostro e spazzava via i fogli con una manata per far posto all'ennesimo amplesso, con gli scricchiolii del legno minato dai tarli che si confondevano con i sospiri e le grida.

Negli stessi giorni di quel vorticoso inizio del 1922, sua sorella Dolores contava i secondi, i minuti, le ore, in estenuanti anticamere davanti all'ufficio del presidente Obregón, si alzava e si risedeva, si alzava di nuovo e origliava alla porta, tornava alla consunta poltroncina di raso, si martoriava le mani strofinandole sempre più forte, oppure si dondolava meccanicamente, maledicendo la lentezza del tempo che non passava mai. A intervalli regolari compariva un segretario che la invitava a pazientare e che alla fine le comunicava invariabilmente che il presidente purtroppo non poteva riceverla: affari più urgenti lo trattenevano altrove o lo avevano appena costretto a uscire, c'era sempre qualcosa da risolvere o da sanare o da liquidare, convulsioni della nazione all'ennesima rinascita, come non capirlo?, il paese pulsava e si contraeva per un altro parto doloroso, e pazienza se alla fine tutto sarebbe tornato come prima, l'essenziale era convincersi che tutto fosse meglio di prima. E Dolores comprendeva, annuiva, si asciugava le lacrime e sopportava le frasi di circostanza del segretario di turno, non faccia così, *señora*, vedrà, il presidente domani troverà sicuramente il tempo di riceverla. Il tempo. *Hay más tiempo que vida*. Di tempo ne avanza sempre nella vita degli esseri umani, una vita che dura poco a differenza del tempo che è infinito. Lei di tempo ne aveva, certo, ma la vita di suo padre non aspettava, correva veloce verso il traguardo, quello a cui si nasce condannati, vincenti e perdenti, tutti a scivolare inesorabilmente verso la stessa meta sperando di non arrivare mai, sperando di far tardi, l'unico appuntamento a cui nessuno vorrebbe arrivare per primo.

E Dolores tornava ogni mattina e si martoriava le mani e si dondolava avanti e indietro, e intanto le cresceva dentro il risentimento, e pensava a quella *pendeja* di sua sorella Carmen, che per il padre stravedeva, che lo venerava, adorava, e adesso chissà cosa diamine stava combinando, vergogna della famiglia e scandalo di mezza città, dopo tante tribolazioni inflitte a tutti loro, la *niña caprichosa* era sparita dietro a un avventuriero che sicuramente avrebbe fatto soffrire ancora di più papà, se mai l'avesse saputo, e lei, Dolores, lì a patire e a subire l'umiliazione di un'udienza eternamente rimandata, a implorare, a lasciarsi squadrare da quegli sfacciati dei segretari che indugiavano sempre sul pizzo sopra i seni e mai, parlandole, la guardavano negli occhi, e poi sentiva gli sguardi sudici sulle natiche ogni volta che si voltava e si riprometteva di ricominciare al mattino seguente, imprecando o pregando la Vergine di Guadalupe, mentre alle sue spalle sentiva dire domani, vedrà, il presidente eccetera, sempre la stessa frase pronunciata da una bocca che immaginava umida di saliva, colante di bava vogliosa... E la rodeva quel pensiero, si chiedeva quanto fossero influenti quei segretari, e se il prezzo di una raccomandazione capace di schiuderle la porta del *despacho presidencial* potesse davvero essere una promessa di lordura morale, un frettoloso smaneggiamento in uno squallido ripostiglio, la gonna sollevata affannosamente e le mutande calate con rassegnazione, "che se era questo che dovevo fare, accidenti a me che non l'ho capito subito, se solo quella sgualdrina di Carmen fosse qui, lei sì che sarebbe stata capace di sbrigarsela, eccome, fin dal primo giorno e magari con lo stesso presidente, e chissà, adesso mio padre sarebbe già di ritorno, ma la *yegua fina* ha altro per la testa, lei, tante moine e smancerie e poi è sparita proprio quando c'era più bisogno dell'unica cosa che sa fare...".

E mentre si tormentava nel dubbio, indecisa se assecondare gli sguardi e mostrarsi compiacente, si ritrovava sulla scalinata a scendere i gradini a rotta di collo, desiderosa solo di fuggire e rintanarsi in casa, a piangere di nascosto dal resto della famiglia dopo aver detto che tutto procedeva per il meglio, che bisognava aver pazienza, si sa come sono i politici... Finché una sera, voltando le spalle per l'ennesima volta al segretario di turno, lacerata fra la ragione che le suggeriva di lasciar indovinare disponibilità e l'istinto che la spingeva verso la scalinata del palazzo, si sentì chiamare. "Dolores Mondragón!" Udendo pronunciare per la prima volta dopo tanto tempo quel cognome che sembrava esser stato bandito dalle spietate stanze del potere rimase paralizzata, insensibile alla mano che la prendeva sottobraccio e la costringeva a tornare sui suoi passi con delicatezza, e provò una cocente sensazione di ridicolo quando varcò la soglia della sala proibita, perché era chiaro che i segretari non decidevano alcunché, era ovvio che il presidente le aveva imposto quell'estenuante attesa per sua personale volontà, esigendo umiliazione, contrizione, facendola frollare come selvaggina.

Álvaro Obregón si alzò in piedi, fece il giro della scrivania e la accolse porgendole la mano sinistra; lei non poté fare a meno di fissare la manica destra ripiegata e appuntata sulla spalla e sebbene lo sapesse che il presidente aveva perso un braccio nella battaglia di Celaya, strappato via da una cannonata dei villisti che pure aveva sconfitto quel giorno stesso continuando a dare ordini con un braccio solo, Dolores rimase a osservare la stranezza della manica vuota perfettamente stirata e trattenuta da minuscole spille da balia dorate. Si sorprese a pensare scioccamente se a occuparsi di quell'assenza ogni mattina fosse una donna, perché dubitava che le mani di un attendente potessero ottenere l'effetto di quell'eleganza eccentrica, trasformando in vezzo una mutilazione.

"C'è chi lo ha conservato in formalina e minaccia di esporlo nel mio futuro mausoleo," disse sorridendo il presidente.

Dolores non capì, frastornata e in preda a una ridda di pensieri contrastanti.

Obregón si toccò la manica con la mano sinistra, e aggiunse:

"Non lo sapevate, che l'avevo perso in combattimento?".

Dolores arrossì, farfugliò qualche frase sconnessa e smise finalmente di fissare la manica vuota. Il generale la invitò ad accomodarsi di fronte allo scrittoio curiosamente sgombro e con i pochi oggetti in perfetto ordine – calamaio, penna e carta, un telefono, il fodero di cuoio ingrassato da cui spuntava il calcio di madreperla della pistola preferita –, quasi fossero disposti secondo un disegno prestabilito e non modificabile.

Dolores prese a parlare come se avesse perso di colpo i freni inibitori, gli raccontò di quanto fosse duro l'esilio per un soldato convinto di aver servito la patria – disse proprio "soldato", non generale –, dei lunghi anni in terra straniera, delle privazioni – pensando a quelle morali, perché di materiale nulla si erano fatti mancare in Francia e poi in Spagna –, pose particolare enfasi sullo struggimento del padre nel leggere le notizie provenienti dall'adorato Messico, assunse un tono veemente descrivendo la sensazione di subire un'intollerabile ingiustizia senza venir mai meno, neppure con il pensiero, all'obbligo di obbedire, come si conviene a un combattente veterano, a un valoroso servitore in uniforme, a...

"Mia dolce Dolores, sta forse parlando del generale Mondragón? Dell'uomo che ha sovvertito l'ordine costituzionale e tradito il mandato affidatogli dal Congresso della Repubblica? Sta forse parlando dell'uomo che ha permesso l'assassinio del presidente Francisco Madero? Si sta riferendo al militare sedizioso che ha ordinato di aprire il fuoco con l'artiglieria sul palazzo presidenziale dando il via ai dieci giorni più sanguinosi nella storia di questa città dai tempi della Conquista?"

Dolores ammutolì. Fissò il volto sorridente di Obregón, che aveva pronunciato quella serie di crudeltà con il tono di chi elogi la bellezza di una donna o il profumo di un fiore. L'atteggiamento *campechano*, affabile e un po' guascone, nascondeva la qualità primaria di chi aspira al potere e sa poi gestirlo: una glaciale freddezza di fronte alle sofferenze altrui. Ma Dolores non si aspettava quell'impatto così diretto, aveva dato per scontato un dialogo formale, giri di parole e allusioni velate, non brucianti staffilate e stoccate mortali. Il presidente le porse un fazzoletto e solo a quel punto Dolores si rese conto che le lacrime le scendevano sulle guance e cadevano sul pizzo della pettorina.

"Mi perdoni," disse Obregón, scuotendo la testa, "so che suo padre è gravemente ammalato e speravo si discutesse solo di questo. Lasciamo da parte il resto, e la prego, non perdiamo tempo, che se la ricevo soltanto oggi è perché gli impegni sono così tanti che lei neppure potrebbe immaginarli."

Dolores deglutì, si fece forza e passò all'argomento che

più la angosciava: descrivere la condanna a morte per cancro benché lei stessa si rifiutasse di ammetterla. Non restava molto da vivere al generale Mondragón, ed era venuta a chiedere, a implorare, che gli venisse concesso di rivedere il Messico, di tornare nella terra a cui aveva dato tutto, forse commettendo errori gravi che non stava a lei giudicare, ma certo nessuno poteva negare che al glorioso esercito messicano il generale Mondragón aveva dedicato tutta la vita e tutto il suo ingegno. E se Sua Eccellenza preferiva chiamarlo sedizioso – qui la voce le si incrinò –, che però sapesse quanto lui, suo padre, si considerasse invece lo sfortunato paladino di una causa persa, che pagava di persona il genuino intento di rendere il Messico più stabile e progredito, a differenza di tanti altri che, voltando gabbana a ogni mutar di vento, ora prosperavano all'ombra dei potenti senza pagare il fio delle proprie colpe.

Ecco, l'aveva detto. E che andasse come doveva andare, perché una Mondragón può anche umiliarsi a chiedere pietà per una persona cara, ma l'elemosina mai, e tanto meno calpestare il proprio orgoglio.

Álvaro Obregón rimase in silenzio. Apprezzava che Dolores avesse rinunciato a piagnucolare e implorare. Non sopportava i questuanti, gli ipocriti, le mezze calze che infestavano i corridoi nelle giornate di udienza. In fin dei conti lui era un combattente prestato alla politica, anzi alle istituzioni, e disprezzava visceralmente i politicanti. Quel farabutto di Manuel Mondragón si sarebbe meritato el paredón, altro che esilio, ma un atto di clemenza avrebbe giovato alla civile convivenza, alla pacificazione di cui il paese aveva un bisogno estremo. Quanto al tradimento del militare golpista, pensava che, se proprio si volevano tirare le somme, conosceva soltanto due uomini che in quegli anni travagliati e tragici non avevano cambiato schieramento restando fedeli a se stessi e ai propri ideali. Ma con i sognatori e gli idealisti non si costruisce una nazione forte e capace di stare al passo con i tempi.

Infine, avrebbe fatto un favore a un uomo che negli ambienti culturali della capitale stava assumendo un ruolo di rilievo. All'inizio si era scervellato a cercare una spiegazione: che diamine aveva da spartire Gerardo Murillo, l'ormai celebre e influente Doctor Atl, con il generale huertista Mondragón? La missiva recapitatagli pochi giorni addietro era stringata e fin troppo schietta, nel chiedergli di concedere il ritorno in patria del militare fellone. Poi, consultati gli informatori, aveva capito. Quel satiro impenitente se la faceva con una delle donne più belle di Città del Messico, Carmen Mondragón, figlia del generale e sorella della donna affranta che ora aveva davanti. E che non avrebbe mai saputo a chi doveva la decisione presa da Obregón già la sera antecedente a quell'incontro.

Dolores tornò a casa in stato febbricitante, pervasa da un'euforia che non riusciva a esprimere per la commozione, abbracciò chiunque le capitasse davanti, annunciò la buona notizia, esortò tutti ad approntare i preparativi per il grande rientro e si precipitò a scrivere una lettera alla madre, nella quale rendeva ufficiale la concessione dell'amnistia per suo padre, pregandola di recarsi immediatamente presso l'ambasciata del Messico a Madrid dove avrebbero sbrigato le pratiche per il rimpatrio del generale Manuel Mondragón.

Ci avrebbe messo tre mesi, quella lettera, a giungere in terra di Spagna. Sull'Atlantico, probabilmente, in un giorno di bonaccia o in una notte burrascosa, due piroscafi si incrociarono ignari di portare ciascuno nelle stive l'annuncio della fine di una lunga tribolazione: la stessa, ma con opposti esiti. La lettera che viaggiava verso est si riferiva all'esilio. L'altra, in rotta per l'ovest, rendeva noto che le sofferenze di Manuel Mondragón erano cessate: il cancro alla vescica lo aveva infine vinto.

17.

LA MORTE È NOSTRA COMPAGNA

"Siamo in trincea. Ogni tanto qualcuno cade colpito. Provi orrore, rabbia, dolore, vedendo un compagno con la carne sfracellata che agonizza davanti ai tuoi occhi. Ma provi anche sollievo perché non è ancora toccata a te... Ecco il senso della vita: gioire perché sei vivo, e cosciente che la morte è il più naturale degli eventi, è costantemente al tuo fianco, e finché non ti afferra e ti porta via devi esserne contento. E soffrire per le assenze non significa offenderne la memoria con l'egoismo di sentirsi abbandonato, perché in fin dei conti la morte spaventa per questo: la solitudine che lascia intorno a sé quando si manifesta. Falli andare in pace, i morti. Non trattenerli. Non piangere te stessa con il pretesto di piangere chi se ne va. Siamo in trincea. La vita è questo. La morte è la condanna che ci viene inflitta al momento di nascere. Temerla è rinunciare a vivere aspettando una grazia che non arriverà mai."

Gerardo le parlava stando in piedi accanto alla scrivania, Nahui lo ascoltava senza guardarlo in faccia, assorta nel proprio dolore, gli occhi fissi sulla lettera che stava cercando di scrivere alla sorella.

"Belle parole. Parli come un filosofo. Ma la verità è che non so come potrò perdonarmi di averlo abbandonato laggiù, in esilio, solo e dimenticato da tutti."

Gerardo si irrigidì, sollevò il mento: aveva sminuito il suo tentativo di consolarla. *Parli come un filosofo.* Lo prese per un insulto. E avvampò di rabbia.

"Abbandonato? In esilio? Ma se tutti questi anni gli sono stati regalati! Quel traditore andava fucilato, altro che spassarsela in Spagna alla faccia di tutti noi che davamo il sangue per la patria!"

Nahui lo fissò stralunata.

"Mio padre ha agito secondo i suoi ideali, non ha mai tradito. E proprio tu parli di patria? Quando mai te n'è fregato niente, di patria e altre scemenze simili?"

Gerardo la afferrò per le spalle.

"Non ti permetto di definirle scemenze! Ho rischiato la pelle per la rivoluzione. Io sono stato sbattuto contro un muro mentre la gentaglia come tuo padre dormiva tra due guanciali di raso. E vuoi proprio saperlo? Mi sono umiliato per te! Ho scritto a quel porco di Obregón abbassandomi a chiedergli di lasciarlo tornare, e non puoi immaginare quanto mi sia costato!"

Nahui sembrò boccheggiare come un pesce agonizzante. All'improvviso, capì: non era stata l'ostinazione di Dolores a convincere il presidente.

"E non è colpa mia se quel..." Gerardo si morse la lingua. "Insomma, che diamine potevo saperne del suo cancro! Ero riuscito a ottenere il permesso di rientro. E me ne pento, visto che per tutta risposta tu mi offendi."

"Non volevo offenderti," balbettò Nahui. Non lo conosceva ancora, il Doctor Atl. Ed era soltanto l'inizio di una serie di dolorose scoperte. L'idillio era durato anche troppo, per il carattere di Gerardo Murillo.

In quell'istante, lui notò un foglio che spuntava da sotto la lettera alla sorella Dolores. Finse noncuranza e lo sfilò di scatto, prima che Nahui potesse impedirglielo appoggiandoci la mano sopra.

"Ridammelo!" urlò lei.

"Perché? Cosa mi nascondi?"

"Niente. Ma non è il momento. Dopo tutto il veleno che hai vomitato, non voglio che tu la legga. Non adesso."

Gerardo, incuriosito, la tenne lontana con un braccio e si mise a leggere. Nahui non tentò di strapparglielo, rassegnata. Mormorò soltanto:

"Se avessi saputo, l'avrei distrutta".

Era una poesia dedicata a lui, un imbarazzante atto di adorazione scritto nel pieno del dolore per la morte del padre.

Le ceneri di mio padre che io conservo
come il ricordo della sua grandezza
le sottrarrei al riposo eterno per spargerle ai tuoi piedi.
Mi farei tagliare la testa
e spaccare il cranio
per usarlo come coppa in cui tu possa bere
fino all'ultima molecola del mio amore.
Tutto questo ti darei.
Il mio amore è ormai di una potenza sovrumana
e domani
giorno dei morti
sarà la resurrezione
di tutto l'amore dell'universo
degli universi
per donarti
mio signore
la sintesi di questo amore
che è la mia carne.

Sul volto di Gerardo, mentre andava avanti con la lettura, si delineò un vago sorriso indecifrabile, un misto di vanità solleticata e sarcasmo, trionfo e disprezzo.

"Quando l'hai scritta?"

"Stanotte. Non avresti dovuto leggerla. Adesso mi odio per averla scritta."

Negli occhi di lui brillò un lampo di desiderio. Non era

mai stato venerato da una donna come gli stava accadendo con lei. La vanagloria lo accecò: se facendo l'amore riusciva a suscitare simili pensieri, tanto valeva godere sino in fondo di quello stato di grazia...

La strinse a sé, provò a baciarla ma Nahui non gli offrì la bocca, allora scese verso il seno, abbassò con violenza la scollatura facendo saltare una spallina, le succhiò un capezzolo, mentre lei tentava debolmente di allontanarlo.

"Smettila... Non voglio... Non adesso... Sei una carogna, mi hai ferita, sei crudele, non meriti che..."

Ma lui era già sceso sul ventre e lei gli si abbandonò. L'ultimo suo pensiero fu chiedersi perché non sapeva resistergli...

Gerardo la spinse sul letto e la prese con forza ma senza brutalità, dosando sapientemente violenza e tenerezza. Era la sua arma vincente: Nahui, in momenti come quelli, era pura energia erotica nelle sue mani. Quando si sentì prossimo al culmine le bisbigliò all'orecchio, con perfida cattiveria:

"Lo sanno tutti che ti facevi scopare da tuo padre".

Fu come se l'avesse frustata. Improvvisamente inerte, la voce rotta dal pianto, Nahui sussurrò:

"Perché, perché mi fai questo... Non è vero... Lo sai che non è vero...".

"Sì che è vero," e Gerardo continuava a muoversi dentro di lei, "amavi quel porco come un uomo, non come un padre... Ti sei fatta sbattere dal generale, dillo! Eri la sua bambina sporcacciona, non è così? La piccola, incantevole, irresistibile depravata..."

Nahui singhiozzava, annichilita, incapace di reagire, e sperava che lui finisse in fretta per potersi nascondere nell'angolo più buio del convento, per fuggire da quell'incubo.

"Ti piaceva, scopare con tuo padre?"

"Ti prego... non farmi questo... smettila, ti scongiuro..."

"Quando ne parli c'è qualcosa di lercio... non in quello che dici, ma in *come* lo dici... Ammettilo, avanti, dimmelo, che te la facevi con quel porco di tuo padre!"

Nahui adesso piangeva, le lacrime che scendevano sulle tempie e si spandevano sul cuscino, i denti piantati nella mano stretta a pugno, il corpo insensibile che subiva l'impeto dell'altro come carne morta. Finalmente lui raggiunse l'orgasmo. Nahui, scossa dai singhiozzi, rotolò su un fianco e si precipitò in bagno. Gerardo le urlò dietro:

"Ti guarisco io, stanne certa! Ti farò sputare fuori tutto il letame che hai assorbito in quella famiglia! Tutto lo schifo che hai ingoiato, tutto il marcio che ti porti dentro! Siete marci, Mondragón! Ma so io come curarti... Finché un giorno andrai a pisciare sulla lapide di quel lurido maiale! E buttale nel cesso, le sue ceneri!".

Era notte fonda quando lui si alzò dal letto e andò a cercarla. Se ne stava rannicchiata sul divano, nuda, immobile, gli occhi sbarrati. Gerardo le accarezzò i capelli. La baciò sulle labbra. Le mormorò parole dolci, inviti a dimenticare, scuse inutili. Nahui non reagiva. Allora lui le poggiò la mano sul ventre, calda, rassicurante. Rimase così a lungo, infine si decise a dire, a bassa voce:

"Tu sei stata madre. Perché non me ne hai mai parlato? Lo so che da qui... hai generato un bambino".

Nahui chiuse gli occhi e scosse la testa, scongiurandolo con il solo pensiero, *no, no, risparmiami almeno questo...*

"Dicono che lo hai ucciso tu. È vero?"

Lei continuò a fare segno di no con il capo, sempre più flebile, sempre più vano.

"Non so che farmene del tuo amore, se non so neppure chi sei. Chi sei, Nahui? Chi sei... Carmen? Chi sei stata, e chi sei adesso? Maledizione, io non ti conosco!"

L'ultima frase era incrinata dalla disperazione. Ora era lui, a scongiurarla.

Ma Nahui non riaprì gli occhi e non disse una parola.

18.

"BISOGNEREBBE ESSERE DI PIETRA
PER NON INNAMORARSI DI LEI"

In qualche recesso dell'inconscio di Gerardo, in chissà quale remoto angolo della sua mente, era scattata la ribellione istintiva. Per quanto fosse ancora innamorato, non tollerava di essere succube di una passione. L'aveva desiderata come mai aveva desiderato nella vita e ora che se la ritrovava fra le braccia, ora che la possedeva totalmente, sentiva l'irrefrenabile desiderio di ferirla per allontanarla da sé. In qualche modo ottenne un risultato utile più a lei che a lui: Nahui riprese a vivere fuori dal claustro, a frequentare gli ambienti artistici, e sebbene lo facesse più per dimostrare a Gerardo di essere uno spirito indipendente che per propria necessità, reagire fu proficuo.

Frequentando il giro di amicizie di Diego Rivera e sua moglie Lupe Marín cominciò a partecipare al movimento di rivendicazioni degli artisti politicizzati, militando nel Sindicato Revolucionario de Obreros, Técnicos y Plásticos, fondato dallo stesso Rivera e da Siqueiros nel 1922. Nahui e la pittrice Carmen Foncerrada erano allora le uniche due donne iscritte.

Donne che portavano i capelli corti, non tanto per seguire la moda dell'epoca lanciata dal cinema – e in particolare da alcune attrici italiane del muto come Francesca Bertini, che a Città del Messico godeva di grande celebrità – quanto per manifestare la propria ribellione: trecce, chiome sciolte o raccolte sulla nuca, acconciature antiquate o moderne, cadevano invariabilmente sotto i colpi di forbici iconoclaste e i capelli lunghi divennero un disprezzato simbolo di "perbenismo". Nahui andò oltre: si rapò quasi a zero, lasciandosi appena un mezzo centimetro di velluto biondo sul cranio, e così facendo mise ancor più in risalto gli occhi abbaglianti e la bocca sensuale. In quel periodo molti artisti vollero ritrarla in disegni e dipinti. Anche il Doctor Atl non perse l'occasione, immortalandola in un pastello dove il volto di Nahui ha un'espressione attonita, gli occhi quasi sbarrati, fissi sul nulla, vitrei, accesi da un bagliore di angoscia. Poi, in un momento di rinnovata tenerezza, la ritrasse ancora: c'era però un velo di malinconia nello sguardo, rivolto di lato, e i tratti del viso rivelavano una bellezza acerba, quasi androgina, un'ingenuità vulnerabile e delicata, lontanissima dalla voluttà e dall'erotismo di tante sue fotografie.

Nei mesi successivi lasciò crescere quei capelli d'oro lucente in ciocche scompigliate: bagnati e ispidi, oppure a boccoli disordinati, adesso le ricadevano sulla fronte ma senza più raggiungere le spalle.

Oltre a dipingere e a partecipare ad alcune mostre collettive, Nahui riprese a scrivere, alternando lo spagnolo al francese in prose e poesie, riflessioni filosofiche e invettive. In quello stesso 1922 pubblicò *Óptica cerebral, poemas dinámicos* e rielaborò gli scritti giovanili in un libro che sarebbe uscito l'anno successivo, *Câlinement, Je suis dedans*. Testi spregiudicati e poesie che ottennero da parte della critica letteraria un'accoglienza positiva, in alcuni casi entusiastica, per lo stile definito "una cascata aurea di parole in armoniosa sequenza", mentre i giornali conservatori, quando non si limitarono a ignorarla, fecero eco agli strati più bigotti della buona società bollando quegli scritti come "sfoghi puerili" e definendo l'autrice "indecente". Stimolata da entrambe le reazioni, Nahui si apprestò a pubblicare un terzo libro, *À dix ans sur mon pupitre*, presso l'allora prestigiosa Editorial

Cultura, riunendo buona parte degli scritti risalenti agli anni parigini.

Nel 1923 conobbe una coppia che in quel periodo era l'anima della vita notturna della capitale e la cui grande casa a Tacubaya, una *hacienda* di dieci stanze con patio interno, era divenuta il luogo di ritrovo dei personaggi più in vista dell'ambiente artistico. Lei, Tina Modotti, italiana dalla bellezza semplice e schiva ma capace di scatenare passioni deliranti in alcuni conoscenti dal temperamento *inflamable*, era reduce da una fugace esperienza a Hollywood di cui non parlava volentieri e sembrava attratta soprattutto dall'aspetto politico e sociale dell'espressione artistica, in ogni sua forma. Lui, Edward Weston, fotografo di fama internazionale ma squattrinato, alternava momenti di euforica attrazione per il Messico e i messicani a periodi di frustrazione per la scarsa resa economica del suo pur eccellente lavoro; inoltre soffriva spesso di una depressiva nostalgia per la California, dove aveva lasciato i figli dopo la separazione dalla prima moglie. Entrambi di giorno vagabondavano instancabilmente per Città del Messico e dintorni con le pesanti Graflex grande formato più treppiede in spalla, fotografando dettagli all'apparenza insignificanti che poi, una volta emersi dai bagni dello sviluppo, rivelavano sensibilità parallele e al tempo stesso contrapposte, esaltando l'anima di un Messico che i messicani spesso ignoravano o vedevano soltanto in superficie. La notte, altrettanto instancabili, aprivano la casa di Tacubaya a feste memorabili, discussioni fino all'alba, dispute letterarie, pittoriche, politiche, tutto mescolato nell'ardore di una metropoli – il meglio di quella nascente metropoli – che aspirava al Mondo Nuovo tanto vagheggiato e che ora sembrava proprio lì, pronto a essere acciuffato con la punta delle dita... e dalle dita continuava a sfuggire, a rendersi inafferrabile. Ma loro ci credevano, e non demordevano. "Qualcosa sta cambiando, sta veramente cambiando," si ripetevano a vicenda in quelle notti di baldoria, speranze, furibonde

137

passioni. Notti dove si parlava del libero amore e si soffriva come cani bastonati assistendo al libero amore della persona amata. Notti dove la felicità effimera cozzava contro l'umiliazione per l'impossibilità di essere coerenti con gli ideali propugnati. Notti così intense che comunque, tra esaltante euforia e accidiosa impotenza, nessuno avrebbe rinnegato come inutili e vacue. Notti che per nessuno di loro si sarebbero mai più ripetute.

Edward Weston, già assillato dalla presunta o reale infedeltà di Tina – che lo portava a scrivere sul suo diario: "La prossima volta voglio amare una donna brutta come l'inferno", tanto la sua bellezza lo martoriava –, vide Nahui e più volte, in quei giorni, pensò a quanto sarebbe stato sublime stringerla fra le braccia, mandando al diavolo quella specie di satanasso che si faceva chiamare Doctor Atl e rendendo a Tina una pariglia con gli interessi. Ma Nahui era soprattutto un volto e un corpo che lo affascinavano come fotografo. La perseguitava con inviti a posare per lui. Una mattina addirittura se lo ritrovò nel convento della Merced, pretendeva di fotografarla così com'era, appena uscita dalla doccia, i capelli umidi, ancora imbronciata per il sonno, il rifiuto di una nuova giornata da affrontare stampato in viso; Nahui lo lasciò fare senza reagire: maledicendolo in cuor suo ma in fondo lusingata, accettò di fissare l'obiettivo.

Il 9 novembre 1923 Edward Weston scriveva sul suo diario:

"Oggi ho realizzato i migliori ritratti da quando sono arrivato in Messico: il viso di Nahui Olín".

Le labbra piegate in una smorfia sensuale o socchiuse in un'espressione di torpore felino, gli occhi per una volta non spalancati ma come rivolti dentro se stessa, oppure velati di sprezzante ironia, uno sguardo distaccato per lei inusuale, i capelli dritti e spettinati, così diversi dai soliti riccioli ribelli, le spalle nude che lasciano indovinare la nudità senza rivelarla... Quei ritratti avrebbero fatto il giro del mondo, furono pubblicati negli Stati Uniti e poi in Europa, inducendo il celebre critico Ben Maddow a scrivere che "fanno ormai parte dei tesori della fotografia".

Weston, da parte sua, aggiunse nel suo diario: "Bisognerebbe essere di pietra per non innamorarsi di lei".

E Nahui, giocando con l'attrazione a fior di pelle di Weston, lo convinse a posare nello studio al piano alto del convento: dipinse così anche lei "uno dei ritratti migliori", con un senso cromatico in grado di rendere caldo e luminoso il volto del fotografo che, nella realtà quotidiana, era solitamente cupo, schivo, malinconico. La solare allegria di Edward nel quadro di Nahui resterà unica: di lui sono state tramandate immagini fosche, con espressioni intense ma prive di tutto ciò che il Messico era pronto a dargli in quei giorni irripetibili. Nahui si divertì a ritrarlo con un sorrisetto malizioso, anche gli occhi curiosamente obliqui sembrano quelli di un gatto pronto a spiccare un balzo. Forse a renderlo così diverso era proprio la vicinanza di Nahui, che per giorni si dedicò soltanto a lui, sfiorandogli il viso per esporlo meglio alla luce della vetrata, accarezzandogli i capelli perché andassero a esaltarne la fronte spaziosa in una sorta di aureola rossiccia, appoggiandogli più volte le mani calde alla base del collo per sistemare la camicia blu oltremare, inebriandolo del suo odore.

19.

"OUI, OUI, MON DRAGON"

Un capello nero. Nerissimo. E lungo, molto lungo. Nahui lo prese dal cuscino e lo guardò in controluce. Chiuse gli occhi e tentò di calmarsi, respirando lentamente. Si sforzò di pensare che quel capello fosse rimasto addosso a Gerardo mentre dipingeva l'affresco nel patio di San Pedro y San Pablo, forse si era avvicinato troppo – *troppo?* – a una modella e... poi, andando a dormire all'alba, come spesso faceva da quando lavorava a quell'opera monumentale, il capello era rimasto sul cuscino...

Si vestì con calma, compiendo ogni gesto con la meticolosità di chi vuol ritardare l'azione: dirigersi all'ex convento dove Gerardo stava dipingendo.

Sull'ultimo ripiano dell'impalcatura Xavier Guerrero stendeva mani di fondo preparatorio, mentre Gerardo, sul primo, a circa due metri d'altezza, ultimava la figura della *Notte*... quella per cui posava la modella dai capelli nerissimi. Come nero era il pube, perché se ne stava davanti a lui completamente nuda, statuaria e sfrontatamente soddisfatta di offrirsi agli sguardi del Doctor Atl, che sembrava indugiare più del necessario sul suo ventre, sui grossi seni dai capezzoli bruni. A Nahui parve che dedicasse molto più tempo alla contemplazione di quel corpo oscenamente disponibile

– le cosce leggermente divaricate per offrire pienamente la visione del soggetto che prendeva forma sul muro – che alle pennellate furtive, fugaci, distratte. Cercò sull'affresco la propria immagine e si sentì offesa all'idea di essere una qualsiasi, una modella fra le altre, si convinse che nella figura che lei gli aveva ispirato non ci fosse nulla di particolarmente intenso, rispetto alle tante dell'insieme. Si intitolava *Il Sole e la Luna*, a cui aveva aggiunto *La Pioggia, Il Vento, L'Onda, Il Vampiro, Il Titano...* e *La Notte*. Che sicuramente si era portato a letto di giorno, o comunque approfittando di una sua assenza. Apparteneva a quella puttanella pelosa con le tette enormi il capello sul cuscino, ne era certa.

Avanzò decisa verso l'impalcatura. Xavier Guerrero fu il primo a notarla: si sporse dall'alto, appoggiandosi al precario parapetto di bambù, fissandola con la solita espressione indecifrabile, i fieri tratti indigeni imperscrutabili, come chi da millenni è abituato al silenzio di fronte alle sorprese della vita.

Nahui diede un calcio a un secchio vuoto, producendo un frastuono metallico che echeggiò nelle volte del claustro. Gerardo si voltò lentamente e la sbirciò impassibile, tornando subito dopo a stendere i colori sul muro.

"Figlio d'un cane, scendi giù che ti mangio il cuore!"

Xavier Guerrero sospirò, tornando al proprio lavoro, come se assistesse a una sceneggiata già vista. Il Doctor Atl ostentò un sorriso provocatorio e disse ad alta voce:

"*Oui, oui, mon dragon*".

A Nahui quel gioco di parole in francese sul suo cognome suonò insopportabile. Afferrò un secchio di vernice verde e lo scagliò verso l'alto. Non riuscì a colpire in pieno la figura della *Notte*, la schizzò soltanto, ma la colata di smeraldo brillante ricoprì tutto il resto, fino al pavimento.

Gerardo rimase immobile. Osservò la devastazione che in pochi secondi aveva annullato almeno tre giorni di lavoro. Prese delicatamente uno dei barattoli che aveva accanto, colmo di pittura color ocra, si sporse dall'impalcatura e lo rovesciò sulla testa di Nahui.

Pietrificata, attonita, Nahui ci mise un po' ad aprire la bocca per prendere fiato. Poi si curvò e a passi strascicati, come una derelitta umiliata e vinta, si allontanò, passandosi goffamente le mani sui capelli, sulla fronte, sulle guance, per cercare di asciugare i rivoli di colore che la accecavano e le impastavano le labbra.

Non pago di quel disastro, Gerardo balzò giù e la raggiunse. La strattonò per un braccio facendole compiere una giravolta, la trattenne per impedirle di cadere e la schiaffeggiò, spandendo tutto intorno schizzi color ocra. Nahui annaspò, barcollò senza emettere un lamento.

Da dietro una colonna comparve all'improvviso in tutta la sua imponenza Diego Rivera. Era lì per verificare se le sue convinzioni sarebbero state confermate dal procedere dell'opera: secondo lui l'unico muralista degno di rilievo era Xavier Guerrero, mentre il Doctor Atl avrebbe fatto meglio a dedicarsi alle tele sul cavalletto, in cui peraltro manifestava un talento raro. Si bloccò di fronte alla scena assurda che gli si presentava davanti: Nahui ridotta a un fantoccio imbrattato di pittura densa, cremosa, e quell'energumeno che si accingeva a sferrarle un altro ceffone. Scattò in avanti e afferrò il polso del Doctor Atl, che a quel punto lo squadrò come se fosse un'apparizione nefasta, incredulo, sforzandosi di recuperare il controllo. Nahui ne approfittò per divincolarsi e correre via, vergognandosi di Diego che l'aveva vista in quello stato.

"Murillo, posso capire cosa si prova a veder rovinato il proprio lavoro," disse Diego indicando con un cenno la macchia verde sull'affresco, "ma basteranno un po' di pazienza e qualche ora di fatica in più, e tornerà come prima."

"No, Rivera, non credo che tu possa capire," sibilò Gerardo, fremendo di rabbia.

Il sorriso bonario sparì dal faccione di Diego. I suoi occhi sporgenti assunsero una luce minacciosa, fredda.

"Comunque sia, non sopporto che si picchi una donna. Non davanti a me."

"Ti chiedo scusa, *don* Rivera," sbottò Gerardo in tono beffardo. "Davanti a te non accadrà più. Infatti il resto glielo do appena arrivo a casa."

Era una vecchia abitudine messicana quel particolare uso del "don": davanti al nome è segno di rispetto, davanti al cognome equivale a dare dell'imbecille a qualcuno. Diego dilatò le narici come un toro nell'arena e appoggiò la mano sul calcio della pistola. Gerardo gli lanciò un'ultima occhiata sprezzante e poi gli volse le spalle, andando ad asciugare con gli stracci la pittura verde sull'affresco.

"Attento a te, *don* Murillo."

La frase echeggiò nelle volte del claustro di San Pedro y San Pablo. Gerardo lo ignorò. Xavier Guerrero, dall'alto dell'ultimo ponteggio, sospirò per la seconda volta: il massimo dell'espressività per il suo proverbiale mutismo.

La *Notte* dai lunghi capelli neri, che si era infilata la vestaglia, se ne stava in piedi come un manichino dimenticato, indecisa se spogliarsi nuovamente e indispettita dal disinteresse dell'artista.

A tarda notte Gerardo entrò alla Merced come un ciclone, salì le scale a tre gradini per volta, irruppe nello studio dove Nahui stava scrivendo, seduta al tavolo, la sollevò per la vita scaraventando lontano la sedia con un calcio e la trascinò verso il bagno. Lei non oppose resistenza. Si lasciò mettere sotto la doccia, dove peraltro era rimasta almeno un'ora per lavare via la pittura, e prese a tremare quando l'acqua gelata la inzuppò.

"È così che curano le pazze al manicomio! Docce fredde!" sbraitò lui, strapazzandola e sbattendola contro le piastrelle.

Poi la spinse fuori, le strappò i vestiti di dosso riducendoli a brandelli e quando fu completamente nuda la costrinse a piegarsi in avanti, facendola cadere carponi sul divano. Si slacciò i pantaloni e, tenendola per i capelli, cominciò ad affannarsi per penetrarla da dietro. A quel punto Nahui reagì, ma non con violenza: pianse, implorandolo di non farlo, di fermarsi per favore, "Gerardo, non così, ti prego", e singhiozzava, subendo il suo impeto, e quando lo sentì dentro di sé sprofondò in un abisso di scoramento, di annichilente delusione, come se andasse in frantumi il sogno più bello, come se finisse nel fango tutto l'amore degli ultimi mesi, come se si spegnessero la speranza, la dignità, l'orgoglio, tutto, *tutto...*

Piangeva e lo lasciava fare. Avrebbe potuto impedirglielo forse, divincolandosi, lottando, ma rimase così, a subire il suo sfogo animale, sentendo un freddo cosmico nel cuore, tremando non più per l'acqua gelida ma per quello stupro che seppelliva la passione, la tenerezza, la gioia dei giorni andati, l'attesa di quelli a venire.

Lui credette di avvertire delle contrazioni, in lei, e allora emise un rantolo di trionfo:

"Ah, ecco cos'è che ti piace, cagna! Altro che *yegua fina*, sei solo una cagna in calore! Dovevo immaginarlo che una depravata simile voleva essere violentata, per godere!".

Poi si staccò da lei con uno scatto all'indietro. Nahui rimase dov'era. I singhiozzi si erano acquietati, lasciando in lei un vuoto assoluto bagnato di lacrime silenziose e un dolore acuto, un punteruolo nel cuore, per la consapevolezza di non poter più cancellare il ricordo di quella notte umiliante.

Il senso di umiliazione si nutriva di un'incertezza, una domanda a cui non avrebbe mai saputo dare risposta: non aveva forse, anche se solo per un attimo, provato piacere nell'essere trattata a quel modo?

Quanto masochismo c'era ormai nella sua illusione d'amore per Gerardo Murillo?

20.

"NON HO MAI AMATO NESSUNA QUANTO ODIO TE"

Ti odio perché odio essere succube della tua bellezza. Ti odio perché odio essere innamorato al punto da perdere il lume della ragione. Ti odio perché odio provare la sensazione di inquietudine quando non ti ho davanti, ti odio perché non l'avevo mai avvertita prima ed ero certo che a me non sarebbe mai accaduto. Ti odio perché odio aver bisogno della tua presenza che ridicolizza la convinzione di poter bastare a me stesso, odio questa urgenza di toccarti, di sentire il tuo respiro, il tuo odore, e odio me stesso per il piacere che mi dà leccare il tuo sudore. Ti odio per come mi hai ridotto, per come mi sono ridotto. Non ho mai amato nessuna quanto odio te. Strega, demonio, devo liberarmi dal tuo incantesimo!

Nahui lesse. Poi, impassibile, si alzò, lasciò scivolare a terra la vestaglia e, nuda, gli si piazzò davanti, le gambe leggermente divaricate e le mani sui fianchi. Lo fissò con un'espressione di sfida, e godette nel vederlo fremere di desiderio, combattuto fra la volontà di resisterle e il desiderio di gettarsi ai suoi piedi. Pochi istanti dopo Gerardo lasciò la sedia, si tolse camicia e pantaloni, cadde in ginocchio e, carponi, la raggiunse per affondare il volto tra le sue gambe. Nahui si inarcò, gli afferrò la nuca, lo premette contro di sé, e intanto si mordeva le labbra per non emettere un solo gemito, per non dargli la soddisfazione di sentirla godere. A quel punto lui la rovesciò sulla scrivania, la penetrò con furia, voglioso di farle male, di mimare uno stupro che tale non era perché, almeno questa volta, era lei a condurre il gioco, a reggere le redini di quello che Gerardo definiva un incantesimo... Ma mentre il ritmo stava raggiungendo il culmine e Nahui lo assecondava, lasciandosi sfuggire gemiti rochi, stringendo i bordi della scrivania per non cadere, lui prese la matita e, continuando a possederla con rabbia mista a struggimento, scrisse ansimando poche righe su un foglio. Subito dopo, mentre Nahui si abbandonava al piacere con un lungo sospiro incrinato da un lamento così profondo da farlo rabbrividire, lui le mise il foglio davanti al volto. Dopo qualche istante, la vista ancora annebbiata, Nahui lesse:

> *Ama*
> *Pero no ames a la mujer*
> *Ama a las mujeres*

Reggendo il foglio con la mano tremante, Nahui si tirò su, raccolse la vestaglia da terra, andò sul divano, si coprì come se l'offesa le imponesse un pudore di cui entrambi si erano da tempo liberati e tornò a leggere quella sorta di sgangherata poesia dal messaggio inequivocabile. Gerardo la squadrava sfacciatamente, in piedi, nudo, le braccia incrociate sul petto e un sorrisetto provocatorio sul volto mefistofelico: adesso era lui a sfidare, a dettare le regole del gioco perverso. Aspettava la sua reazione, pronto a sfruttare l'occasione per spezzare l'incantesimo. Nahui distolse lo sguardo, quasi che la nudità di lui la infastidisse. Passandosi la mano tra i capelli sudati, mormorò con sarcasmo:

"'Non amare *la donna* ma ama *le donne*'... Patetico. Accetta il mio consiglio: dipingi, che è l'unica cosa che sai fare eccelsamente, perché come poeta mi ricordi certi compagni delle scuole elementari".

"Non voleva affatto essere una poesia," ribatté lui in tono pervicacemente canzonatorio, "è soltanto una massima, una regola di vita, una ricetta contro la peggior malattia del moralismo perbenista: l'amore inteso come esclusività, generatore di gelosia, istinto di possesso, il falso amore che preclude l'amore vero, universale, libero e gioioso. Tu e tutte le altre come te, apparentemente spregiudicate e disinvolte, che blaterate tanto di amore libero e rifiuto del possesso, alla resa dei conti siete gelose come gatte e appiccicose come cagnette."

Gli occhi di Nahui lanciarono un bagliore che per un attimo costrinse Gerardo a tacere: una staffilata di disprezzo allo stato puro, un lampo di repulsione e rancore che annullava di colpo – ma per quanto tempo? – qualsiasi sentimento li avesse uniti fino a quel momento.

"Io ti amo, Nahui, amo *anche* te," aggiunse Gerardo cominciando a rivestirsi con calma, sicuro di aver riacquistato quel barlume di lucidità che inseguiva da mesi.

Nahui si mise a strappare il foglio in pezzetti sempre più piccoli, con paziente meticolosità, fino a ridurlo in coriandoli. Mentre lui si accingeva a preparare un caffè, ostentando una sorta di baldanzosa allegria, gli disse:

"Se proprio senti la necessità di scoparti quelle bagasce delle tue modelle, non c'è bisogno di scomodare l'amore".

Poi, nell'intento di ferirlo, ben sapendo quanto lui odiasse la volgarità gratuita, aggiunse:

"Me l'hai insegnato tu che verghe e vagine non sono come saponette che si consumano con l'uso, quindi sbattilo pure dentro a chi ti pare, ma non davanti a me. Perché almeno il rispetto lo esigo, e se provi a umiliarmi ancora davanti agli altri ti cavo gli occhi".

Gerardo incassò, sforzandosi di tenere a freno la lingua, ma si sentì avvampare. Non reagì, come invece Nahui avrebbe sperato. Perché voleva tanto che lui perdesse le staffe, che le si avventasse contro urlando, che la colpisse, e allora lei avrebbe preso a scalciare, lo avrebbe graffiato, facendogli male, male sul serio, magari con una gomitata nelle costole o una tirata di capelli, quei pochi rimasti e a cui teneva ossessivamente.

Udì il batacchio del portone esterno. Due colpi oscenamente nitidi. L'annuncio della sventura imminente. Il cigolio dei cardini, il battente che rimbalzava sullo stipite, e quella vocina scema, insultante, cristallina come un getto d'orina nel bugliolo di latta, la vocina della sua modella preferita che squittiva: "Professore? Siamo qui, Doctor Atl, possiamo salire?". E lui che la fulminava con un'occhiata, a volerle dire: "Adesso basta, datti un po' di contegno, che devo rientrare nel ruolo del Grande Pittore osannato dal Popolo".

"Venite pure, un attimo e sono da voi!" gridò Gerardo.

Si infilò frettolosamente la giacca, finì di abbottonarsi i pantaloni, e intanto Nahui pensava: "Risparmiati la fatica, tanto fra poco te li calerai un'altra volta. *Farsante*, commediante da quattro soldi, cialtrone ipocrita, adesso te lo do io il contegno, ti faccio vedere io come si amano tutte le donne e non una sola, e vai all'inferno tu e quelle due troiette, almeno non in questa casa, non dove io dormo, dove facciamo l'amore, non qui dentro, maledizione...".

E mentre il flusso di imprecazioni le rimbombava in testa, Nahui era già sulle scale. Lui provò inutilmente a sbarrarle il passo. Nahui afferrò la prima delle due ragazze per il collo e la fece volare all'indietro, scaraventandola contro l'altra. Rotolarono assieme giù per le rampe di scale. Un duplice tonfo sul pianerottolo, lamenti che sembravano guaiti.

Gerardo, in cima alle scale, fissò la scena sgomento.

"Che hai fatto, disgraziata..." E con quanto fiato aveva nei polmoni: "Tu sei pazza! Sei da rinchiudere in manicomio. Tu devi essere curata, ci vuole la camicia di forza, accidenti a te e a quando mi sei capitata davanti!".

Spinse di lato Nahui con un ceffone che non centrò la guancia ma la colpì sulla spalla, quindi scese i gradini tremante di rabbia: soccorse le due modelle, rosso in volto come un'eruzione vulcanica, sdilinquendosi in scuse e promesse di cure immediate. Una delle due lamentava una gamba rotta, ma forse era solo una storta alla caviglia, l'altra si stava riempiendo di ecchimosi in viso e sulle braccia.

Nahui, dall'alto, rideva.

Gerardo tornò di sopra: furioso e muto, la sollevò con forza inaudita – stupendola, perché lui oltre che *vecchio* era anche tutt'altro che robusto –, la immobilizzò e la trascinò fino allo sgabuzzino, di peso, senza nemmeno farle sfiorare il pavimento. Ma di fatto Nahui non oppose resistenza, quasi fosse quell'impeto di collera tutto ciò che aveva voluto ottenere fin dall'inizio. Si lasciò legare i polsi e le caviglie. Quando lui richiuse la porta sbattendola forte rimase al buio, sdraiata sulle mattonelle consunte, il corpo nudo che assorbiva il freddo del pavimento e il viso a pochi centimetri da scope e stracci, gli occhi chiusi e le lacrime che si impastavano con la polvere e la sporcizia del ripostiglio.

Mancava poco all'alba. Un vago chiarore lattiginoso filtrava dalle grandi vetrate dell'ex convento della Merced. Ma non fu l'ora in cui muoiono i sogni, a svegliare Gerardo. Fu la presenza. La leggera pressione di un peso sul bacino, sul ventre... Socchiuse gli occhi. Sbatté più volte le palpebre. Mise lentamente a fuoco.

A fuoco.

Bocca da fuoco.

La canna del suo revolver.

Dietro, Nahui, nuda, a cavalcioni su di lui. China. Protesa in avanti, con entrambe le mani sull'impugnatura del revolver. Stravolta. Sguardo allucinato. Tremante. Anche le mani le tremavano. E il cane era alzato. Gerardo notò il biancore dell'indice contratto sul grilletto. Sarebbe bastata una piccola pressione, un leggero scossone, che solo vacillasse per il cedimento di un muscolo in tensione, un qualsiasi, impercettibile, minimo, insulso accidente naturale o innaturale e il colpo sarebbe partito, sfracellandogli le cervella.

Non era il solito incubo. Lui che se ne stava ritto di schiena al *paredón*, nel punto dove le pallottole di precedenti fucilazioni avevano scrostato l'intonaco e scavato nei mattoni, i Mondragón calibro 7 puntati sul suo petto, la sciabola che emergeva dal fodero con lentezza esasperante, scintillando al sole, finché la lama si levava in alto, e un istante prima che si abbassasse di scatto...

Calma. Sei stato davanti a un plotone d'esecuzione e non hai perso la calma, non puoi farlo ora, davanti a questa pazza isterica, stai calmo, non sparerà, non...

E se lo facesse senza volerlo? È sconvolta, non si rende conto che basta un niente per far scattare il fermo della molla, per giunta sarà consumato, è un vecchio revolver, accidenti a me che non lo tengo al sicuro, se ti muovi parte il colpo, stai fermo, calma, calma, se fai un gesto sarà l'ultima fiammata, l'ultima eruzione, l'ultima colata lavica nel tuo cranio esploso...

Nahui scivolò su un fianco, si afflosciò su un lato del letto. Le era bastato intuire una parvenza di paura sul volto di Gerardo. Era ciò che voleva.

Non ebbe il tempo di ripensarci. Lui tentò di strapparle la pistola. E allora fu come un lampo di realtà che lacerava il velo livido del sogno. Reagì in maniera istintiva, inconsulta, si convinse che sì, voleva proprio ammazzarlo, pensò che stava perdendo l'occasione di farla finita con quell'inferno, vendicarsi delle umiliazioni, liberarsi da quella malsana sensazione di sporcizia che le si era annidata dentro, cancellare il ricordo di ogni nefandezza affogandolo nel futuro ricordo di una tragedia, e i due si rotolarono avvinghiati, caddero ansimando sul pavimento, e lei premette il grilletto, uno, due, tre spari, quattro, cinque, sei boati, sempre più assordanti, l'intero tamburo del revolver, e gli scatti a vuoto si persero nell'eco di quel fragore rimbombante, mentre i calcinacci schizzavano dal soffitto e dalle pareti e le piume del cuscino e batuffoli di lana volteggiavano per la stanza come una nevicata che seppelliva sotto una gelida coltre l'ardore di una passione amorosa trasformatasi in bramosia di morte. L'ultimo suono fu grottescamente cristallino, nitido nel silenzio calato all'improvviso: un pendaglio del lampadario che rimbalzò più volte sulle mattonelle e rimase a girare su se stesso per interminabili secondi.

Gerardo le tolse il revolver di mano. Si alzò. La squadrò da capo a piedi. Percorse con lo sguardo il suo corpo nudo sul pavimento. Uno sguardo di commiserazione.

Poi tornò a letto, infilò il revolver sotto il cuscino sventrato e si rimise a dormire.

In quel momento non riusciva a immaginare niente che potesse umiliarla maggiormente. Sapeva come ferirla, e lo fece: russando subito dopo.

Non lo so. Non lo sapevo allora e non l'ho saputo neppure dopo. Volevo davvero ammazzarlo? Forse sì, quando ho sparato. Ma prima... no. E poi è stato meglio così. Volevo vederlo impotente davanti alla canna della pistola, volevo incrinare quella sua strafottenza invulnerabile, ma ucciderlo... Non lo so. Quello che so, è che l'indomani sono andata da Diego.

Si stenterebbe a crederlo, vedendolo, con quella mole imponente, ma Diego riusciva a suscitare un'infinita tenerezza, gli piaceva farsi coccolare, consolare, fra le lenzuola era un bambino bisognoso di affetto, sapeva come solleticare l'istinto materno anche facendo l'amore, il che mi sembra assurdo ripensandoci, ma forse era proprio questa la sua arma vincente: non aveva alcuna remora a mostrare il suo lato femminile, la sua fragilità, in contrasto stridente con il Diego sbruffone e sicuro di sé che girava con la pistola nella fondina e la pancia debordante, quasi fosse sempre pronto a usarla come un respingente. Era disarmante, quando si metteva in testa di portarsi a letto una donna. Io avevo resistito a ogni assalto, lusingata, sì, ma solo con il pensiero, solo nella testa, perché a pelle restavo indifferente: provavo piacere a vederlo acceso di desiderio, però ogni palmo del mio corpo bruciava per Gerardo, anelava il contatto delle sue mani e per me non esisteva nessun altro. Fino a quel giorno, quando, furiosa per aver constatato che quel cabrón poteva benissimo amare me e altre dieci contemporaneamente, mi sono resa conto di quanto fosse stupido, anzi, iniquo, riservare il mio corpo soltanto a lui. E ho agito d'istinto, senza pensarci su.

Diego stava ritoccando alcuni dettagli della Forza interiore, dopo che Lupe Marín aveva smesso di posare e se n'era andata, forse a preparargli qualcosa da mangiare, perché tra i due non c'erano più soltanto amplessi furibondi nel sottoscala dove Diego aveva sistemato una branda con la scusa di andare a riposarsi qualche ora ogni tanto: non parlavano ancora di matrimonio, ma si comportavano già come una coppia fissa. Era solo. Anche gli aiutanti erano andati via, sfiniti, e lui si apprestava a scendere dall'impalcatura, gli occhi arrossati per lo sforzo di concentrarsi sui colori alla fioca luce delle lampade a petrolio. Si era accorto della mia presenza dopo un po' che stavo là sotto, a fissarlo in silenzio. Sul suo viso era comparsa un'espressione indecifrabile, non capivo se fosse contento di vedermi o piuttosto preoccupato per il probabile ritorno di Lupe... Aveva sciacquato i pennelli, li aveva asciugati con cura ma rapidamente, poi si era precipitato giù, da una scaletta di legno all'altra, con un'agilità insospettabile per quel corpo goffo e ingombrante. Mi si era parato davanti ansimando e mi aveva fissata negli occhi, come per chiedermi cosa volessi lì a quell'ora. Ma io non gli avevo dato il tempo di aprire bocca. O meglio, la bocca l'aveva aperta, anzi, spalancata, quando mi aveva vista abbassare le spalline del vestito, tirarlo in avanti per scoprire i seni, e sfilarmelo fino a lasciarlo cadere sui piedi. In un istante ero completamente nuda. Immobile, a testa alta, senza distogliere lo sguardo dal suo. Lo avrebbe distolto lui, percorrendo lentamente ogni centimetro del mio corpo, soffermandosi sui capezzoli, sul ventre, sui fianchi, e quando era arrivato giù, e io avevo allargato leggermente le gambe con un mezzo passo di lato, aveva avuto un fremito, un sussulto, aveva emesso un sospiro roco e mi aveva sollevata di peso, con un gesto elegante, un braccio sotto le ginocchia e uno dietro la schiena. Quindi mi aveva portata nel suo sottoscala, l'alcova *dove chissà quante ne aveva scopate prima di me, e lì aveva cominciato a baciarmi partendo dalla fronte, poi la bocca, e il collo, e poi aveva continuato per non so quanto, facendomi sentire la sua lingua ovunque, e per tutto quel tempo non avevo pensato per un attimo, mai, a Gerardo, anche se sapevo che mi stavo dando a Diego per ripicca, per voglia di rivalsa, per tornare da lui e gridargli in faccia che anch'io potevo amarlo senza per questo concedergli l'esclusiva assoluta del mio piacere... Solo quando stavo per venire, con Diego che si era rivelato incredibilmente delicato e sapiente, mi era comparso davanti il volto di Gerardo, sovrapposto al suo faccione madido di sudore... Ma era durato una frazione di secondo, perché subito dopo la vertigine aveva cancellato entrambi, Diego e Gerardo: quando raggiungevo il culmine non importava chi mi stesse sopra o sotto, era solo il mio corpo a esistere, e lo smarrimento che ne seguiva mi lasciava sempre una punta d'amaro quando vedevo, confusi da un velo di lacrime, i tratti di un volto che stentavo a riconoscere. O che non volevo riconoscere.*

Soltanto con Eugenio avrei smesso di provare quel senso di amarezza con cui avevo imparato a convivere, credendolo ineluttabile. Anche se, con Gerardo, mi illudevo che fosse struggimento e quindi parte del piacere, il prezzo da pagare ogni volta per aver scatenato il demone caldo che mi portavo dentro.

21.

LA TEMPESTA INFURIA

Per vendicarsi, Nahui non si limitò ad amare altri uomini: scrisse a caratteri cubitali un "proclama" contro il Doctor Atl e lo affisse al portone della Merced.

Miserabile dottorucolo
assassino di donne
fai il gradasso con le donne ma sei solo un codardo.
Ti ho fatto le corna con almeno venti uomini veri
vecchio pazzo
ti credi intelligente perché sfrutti il talento altrui
il tuo disprezzo non mi tocca.
Muori dalla rabbia perché sono ambita
dai migliori giovani di Città del Messico.

"Assassino di donne", con ogni probabilità, era un'accusa che si riferiva ai massacri degli zapatisti, ai tempi in cui Murillo combatteva nei Batallones Rojos, responsabili di aver eliminato anche mogli e figli degli avversari.

Il loro burrascoso rapporto era ormai di dominio pubblico, suscitando non solo pettegolezzi a non finire ma anche l'interesse della stampa. L'11 ottobre 1923 "El Universal Ilustrado" pubblicò un'intervista al Doctor Atl, che diceva fra l'altro:

"Il matrimonio è l'assurdità posta alla base della società.

Sposare una scrittrice, poi, mi renderebbe la vita insopportabile. Già la vita in comune con una donna è una costante contraddizione, ma con una letterata sarebbe una costante catastrofe!".

Nahui all'epoca era più nota come autrice di prose e poesie che come pittrice, e il riferimento a lei fu fin troppo chiaro per i lettori. Una settimana dopo anche Nahui concesse un'intervista, affermando in maniera ancora più esplicita:

"Non mi risposerei con nessuno, e men che mai con un pittore stravagante o con un letterato mediocre, perché uomini simili sono già sposati con l'ossessione di una gloria che quasi sempre non meritano, la loro vera moglie si chiama Vanità".

In privato, Gerardo scriveva sul suo diario:

La tempesta infuria. Oggi è tornata a casa mia. L'ho vista salire le scale flessuosa, felina come una tigre. L'ho aspettata sulla soglia del salone, indeciso su come comportarmi. Si è fermata a pochi passi da me. Il volto in fiamme, gli occhi verdi che sprizzavano scintille e sulle labbra un insulto pronto a esplodere...
La nostra vita è diventata lo scandalo della città, questa città che tra le riforme dei legislatori all'ombra dell'eredità di Benito Juárez e le manifestazioni reazionarie della società più ipocrita vive un'esistenza contraddittoria.

Contraddizioni di cui ben presto si ritrovò vittima: il ministro Vasconcelos, pressato proprio da quei settori che il Doctor Atl definiva "reazionari e ipocriti", cedette all'ondata di proteste e ordinò di far ricoprire sull'affresco nel patio di San Pedro y San Pablo tutti gli organi sessuali delle figure rappresentate. Successivamente, il ministro Narciso Bassols, esasperato dalla polemica che il caso aveva scatenato, e dalle sfuriate pubbliche del Doctor Atl, mandò una squadra di operai a riverniciare tutto. Nahui scomparve così dal *mural* che forse la rappresentava più di ogni altro, non comprimaria o comparsa come in quelli di Diego Rivera, ma protagonista di primo piano. Rimasero sotto un manto di intonaco anche i messaggi irosi, sarcastici, sferzanti, che Nahui tracciava sui bordi quando non trovava Gerardo al lavoro, immaginandolo appartato con qualche modella o presunta tale. In uno, diceva: "Se tu vuoi la libertà per te, anch'io la voglio per me".

Intanto, l'atelier della Merced divenne il punto di ritrovo non solo di allievi ma anche di giovani donne ambiziose, modelle e attricette speranzose di ottenere raccomandazioni da quell'uomo che, nel bene e nel male, era comunque sempre al centro dell'attenzione, spesso in prima pagina per lo scandalo dell'affresco censurato. Il Doctor Atl si godeva la celebrità e sguazzava in quelle acque: incassava cifre sempre più alte per i suoi quadri e andava a letto con ragazze che non gli negavano nulla, facendone poi le sue protette e, quasi sempre, procurando loro qualche ingaggio a teatro, o comunque ripagandole per i loro servigi. Non furono pochi i casi in cui finì per scaricarle ad amici influenti che ne fecero le proprie amanti: con il Doctor Atl, male che andasse, si diventava se non altro mantenuta di qualche ricco politico, proprietario terriero, impresario o produttore.

Nahui si recava saltuariamente nell'ex convento della Merced. La fauna che lo popolava era per lei un insulto insopportabile e del resto Gerardo non faceva nulla per nascondere le sue relazioni amorose; al contrario, se lei osava disturbarlo in un momento di intimità – molti sostenevano addirittura che fosse dedito a orge – le si scagliava contro picchiandola e trascinandola in strada, tanto che una volta Nahui, in preda alla disperazione e piena di lividi, andò a denunciarlo alla polizia. Ma si trattava del Doctor Atl, che, per quanto "censurato" e osteggiato dagli ambienti conservatori, godeva di grande rispetto in quelli governativi. E la denuncia finì nel dimenticatoio. In seguito la stessa Nahui l'avrebbe ritirata, considerandola frutto di un momento di rabbia inconsulta.

Il loro rapporto continuava, *malgré tout*, a trascinarsi fra impennate e precipizi, liti devastanti e amplessi amari, speranze e rancori, illusioni di amore ritrovato e, subito dopo, immancabili delusioni. Provavano ancora una sorta di morbosa attrazione reciproca, che sfociava in un insano sadomasochismo: lui godeva nell'umiliarla e lei, pur reagendo, ribellandosi, denunciandolo o affiggendo manifesti, finiva per tornare a cercarlo, nella speranza di riallacciare una relazione divenuta insostenibile. Comunicavano quasi solo per lettera, soprattutto Nahui, che gli scriveva anche quando lui era presente, intento a dipingere nello studio, mentre lei se ne stava chiusa in un'altra stanza.

Puoi deturparmi, puoi scrivere nefandezze sul mio conto su quegli immondi giornali liberali e puoi ridertela delle mie minacce – tutto quello che vuoi –, ma ciò che non ho tollerato, non tollero e non tollererò mai, è la tua sfrontata infedeltà, i tuoi inganni, le tue menzogne, la tua mancanza di coraggio per dirmi: non ti amo più. Odio i vigliacchi come te perché io sono franca, sincera, anche brutale, come si addice a tutto ciò che è unico, grande, al contrario dei pusillanimi... Tu amerai altre donne, ma il tuo potere non giungerà mai al di là della tua volgarità. Io sono superiore a tanta miseria.

Eppure, proprio nell'ultima lettera, Nahui ribadì quanto, *malgré tout*, fosse ancora innamorata di lui.

La forza che mi tiene inchiodata a te è superiore a qualsiasi altra – e ti amo pur odiandoti – perché l'amore è contraddizione, l'amore è assurdo.
E ti amo da lontano, da vicino, ti amo con follia, con la follia della mia intelligenza e del mio desiderio, con gli occhi chiusi e il cuore ancora una volta palpitante.

Il Doctor Atl se ne andò sugli amati vulcani, il Popocatépetl e l'Iztaccíhuatl, nel vicino Morelos nei cui altipiani aveva lasciato ricordi di sangue, e poi ancora più lontano, sul Pico de Orizaba, nello stato del Veracruz. Nahui raccolse le poche cose rimaste nell'antico convento e si trasferì in una casa presa in affitto nel centro della capitale, al 18 di calle 5 de Febrero: era un edificio in stile coloniale noto come la Casa de los Condes de la Cortina e abbellito da *azulejos* – le piastrelle di ceramica tipiche delle dimore nobiliari nella Nueva España –, anche se lei occupava solo l'*azotea*, la soffitta sulla terrazza, piccola ma decorosa e, soprattutto, con una splendida vista sulla città e sui vulcani all'orizzonte. Qualche tempo dopo chiese a Gerardo di restituirle le sue lettere, scrivendogli: "Non meriti di conservarle, perché sono sangue del mio sangue, parte della mia vita, e non voglio che tu le calpesti come hai calpestato il mio corpo". Lui la accontentò, dandole anche alcuni quadri che aveva lasciato alla Merced.

Quel verme mi ha presa in giro, ancora una volta. In realtà aveva tenuto una copia di tutte le mie lettere e qualche anno dopo le ha pubblicate nel suo libercolo. Pieno di panzane, per giunta. Io che lo conoscevo bene sapevo quanto vi fosse di inventato, in certi episodi dove si vantava di cose mai avvenute, esaltandosi e ingigantendo la propria figura di meschino pusillanime... Si spacciava per rivoluzionario, per grande artista indipendente, quando nella pratica era un leccapiedi dei potenti e ben presto avrebbe rivelato la sua vera natura, abbracciando il nazismo e rendendosi ridicolo con i suoi atteggiamenti da agente segreto da operetta. Solo un cialtrone par suo lo avrebbe preso sul serio, come quell'italiano, Mussolini, che gli mandava casse di vino in regalo. Però mi sono tolta una soddisfazione. Anche se la cosa era nata dall'ennesima umiliazione. Qualche tempo dopo l'ho incontrato per strada, una giornata delle peggiori, non so che diamine ci facevo lì, ogni tanto mi succedeva di svegliarmi al mattino con il velo nero davanti agli occhi, e tutto appariva oscuro, vacuo, opprimente, allora vagavo senza meta, e a un certo punto me lo sono ritrovato davanti... Dovevo essere davvero ridotta uno straccio, perché mi ha convinta ad andare nel suo studio e io mi sono lasciata accompagnare, senza dirgli niente. Ho sentito la sua pietà. Mi ha umiliata provando pietà per me. E mi ha persino regalato due quadri suoi... E altri due miei, che ancora teneva da parte a mia insaputa. Non me li ricordavo neppure quei due quadretti, ma li ho ripresi, senza aggiungere che, a suo tempo, aveva giurato di avermi restituito tutte le mie cose. Fin lì ero indecisa sulle sue intenzioni, forse voleva davvero farmi una gentilezza, ma poi, quando ha detto che i suoi avrei potuto venderli facilmente, che ormai i suoi dipinti erano quotati, li compravano a occhi chiusi, se li contendevano i galleristi eccetera, insomma, era sempre lui, il Grande Artista che faceva l'elemosina alla poveraccia, alla fallita. Ho faticato a controllarmi, ma ci sono riuscita, perché a un certo punto mi è venuta l'idea... Pochi giorni dopo sono tornata nel suo studio e gli ho detto che nessuno voleva comprarli. Quel primo colpo lo ha incassato bene, facendo finta di niente. Ha detto soltanto che sicuramente non avevo più i contatti giusti, che non frequentavo persone di un livello culturale sufficiente a far loro apprezzare simili opere... Offendimi pure, pensavo, che adesso ti faccio vedere io. Ha tirato fuori da un cassetto un rotolo di banconote e mi ha dato quattrocento pesos. "Te li compro io," e ha sorriso, l'idiota. "E altri cinquecento pesos per i miei." Ha pagato, convinto di fare un'opera di bene. La puttana ricompensata per i suoi servigi. Non avevo mai preso un soldo da lui, mai. Neanche sono tornata a casa: dritta alla polizia. C'era un ispettore che sapevo quanto fosse disponibile ad accogliere una mia denuncia, non ricordo bene dove l'avessi conosciuto, comunque non avrebbe messo in dubbio la mia parola, anche se mi ascoltava sbirciando nella scollatura e immaginandomi senza orpelli addosso. Mezza Città del Messico mi aveva vista nuda, in fotografia, e molti anche dal vero... Non lui, quel poliziotto doveva accontentarsi del mio corpo stampato, ma la speranza, si sa, è l'ultima a morire, e poi va anche detto che se l'esimio Doctor Atl era osannato da tanti, ce n'erano molti altri che lo consideravano un trombone e non vedevano l'ora di fargli qualche scherzo. Dunque, sono tornata alla Merced con due agenti, che hanno sbattuto in faccia al señor Gerardo Murillo la denuncia per furto e l'ordine di perquisizione. Ricorderò sempre il suo sguardo, quel giorno. Se avesse potuto incenerirmi, sprofondarmi nella bocca di un vulcano, bruciarmi viva sul rogo... E soprattutto, quanta voglia aveva di prendermi a cinghiate e magari trascinarmi sotto la doccia fredda, la sua cura preferita. Ma c'erano i poliziotti, e la denuncia, e il mandato. E i cronisti pronti a correre lì per scatenare l'ennesimo scandalo. Non ha tentato di far valere le sue ragioni. Ha capito subito che, almeno quella volta, l'avevo fregato. Li ha lasciati entrare, portandoli direttamente nello sgabuzzino dove aveva buttato i miei due quadri. "La señora è disposta a soprassedere sull'appropriazione indebita, se lei ha la compiacenza di rifonderle il danno subìto." Adorabili, quei due giovanotti in divisa. Gerardo, con la schiuma alla bocca, ha acconsentito. In Messico, prima risolvi la questione e meno ti costerà. Lo sapeva bene, lui. In fondo erano quelli come Gerardo Murillo ad averlo ridotto così, il nostro sventurato paese. Ha sborsato altri cinquecento pesos. E vai al diavolo, satiro di merda.

22.

"SOBREDOSIS DE AMOR"

Separatasi da Gerardo, Nahui riprese a frequentare assiduamente il variegato e spesso contraddittorio universo artistico della capitale, ignorando chi la additava come la donna che aveva trascinato nel ridicolo il Doctor Atl. In qualche occasione incrociò Manuel Rodríguez Lozano, ma lui evitò sempre di rivolgerle la parola, fingendo platealmente di non vederla.

Manuel in quel periodo viveva con uno dei suoi allievi più brillanti, Abraham Ángel, che a soli diciannove anni aveva realizzato alcuni ritratti di grande forza espressiva, uno dei quali aveva per soggetto proprio il suo maestro e amante. Manuel non sembrava troppo coinvolto nella relazione, con Abraham si comportava in modo paterno più che passionale, ma per il ragazzo quell'amore dovette risultare così devastante da spingerlo all'autodistruzione. All'epoca, l'uso delle droghe si stava diffondendo negli ambienti artistici e la marijuana, che faceva pur sempre parte delle tradizioni indigene del paese, lasciava il posto al crescente abuso di cocaina ed eroina. Una notte, nel 1924, Abraham Ángel si iniettò una dose mortale di cocaina e morì nel letto per una crisi cardiaca. Fu l'ennesimo scandalo. L'autopsia propendeva per il suicidio, data la quantità di cocaina assunta in una sola iniezione, praticata in una coscia. Ma il caso venne archiviato senza conseguenze per Rodríguez Lozano, che continuò a circondarsi di giovani allievi talentuosi, ribattezzati dai benpensanti *lozanitos* anche se non tutti erano omosessuali né avevano rapporti amorosi con il maestro.

Negli anni successivi Rodríguez Lozano aderì al movimento Los Contemporaneos, di cui facevano parte fra gli altri il pittore Rufino Tamayo e il poeta Carlos Pellicer: in contrapposizione ai muralisti politicamente impegnati, affermavano una visione più individuale della pratica artistica. Principale punto di riferimento, mecenate e musa venerata, era Antonieta Rivas Mercado.

Nata a Città del Messico nel 1898, figlia di un noto architetto, Antonieta studiò lingue, musica e filosofia a Parigi tra il 1923 e il 1925. Tornata in Messico, abbracciò con entusiasmo la politica culturale di Vasconcelos, divenendo sua intima amica, e nel 1927 fondò il Teatro Ulises, dove si rappresentavano opere di Cocteau, O'Neill, Shaw, Yeats, Vildrac. Lei stessa recitò in alcune di queste, accanto a Manuel Rodríguez Lozano, che lasciò momentaneamente da parte tele e pennelli rivelando un certo talento di attore. I rapporti fra Antonieta e Manuel divennero sempre più stretti, fino a sfociare in un amore disperato da parte di lei, che in una lettera del 1928 gli scriveva: "Il seme generoso non può essere caduto soltanto in Abraham, pretendo anch'io di essere terra fecondata che fa germinare il grano". Ma per Manuel, che per un certo periodo amoreggiò con Antonieta, la relazione rimase sospesa in un limbo di affetto, comunanza, complicità, piacere sessuale, senza accendersi di passione. Antonieta dovette rassegnarsi, ma restò profondamente legata a quell'amore impossibile. Cercò di stordirsi nell'attività incessante, tradusse le opere di André Gide, scrisse saggi sull'arte e articoli di critica teatrale, pubblicò libri come editore, fra i quali alcune delle opere migliori di Xavier Villaurrutia e Andrés Henestrosa, fornì aiuti preziosi e tutte le sue energie al musicista Carlos Chávez per creare l'Orchestra sinfonica nazionale, e intanto scriveva lettere a Manuel Rodríguez Lozano che resteranno l'unica testimonianza diretta dell'intensità con cui visse la propria esistenza. Poi tutto precipitò: nel 1929 Vasconcelos venne sconfitto alle elezioni e Antonieta si autoesiliò negli Stati Uniti. Qui strinse amicizia con Federico García Lorca, che in quel periodo risiedeva a New York, e scrisse alcuni articoli sulla condizione della donna anticipando concetti e rivendicazioni del femminismo. Rientrata per breve tempo in Messico, partì subito dopo per Parigi, dove trascorse qualche mese in miseria, sola e dimenticata, portando all'esasperazione l'amore frustrato per Manuel Rodríguez Lozano, gli ardori che forse a quel punto le parvero spesi vanamente: il peso di quelli che considerava tragici fallimenti dovette infine sembrarle intollerabile.

L'11 febbraio 1931 Antonieta Rivas Mercado varcò la soglia della cattedrale di Notre-Dame. Raggiunse l'altare, si inginocchiò, estrasse una pistola dalla borsetta e si sparò un colpo al cuore. L'eco che rimbombò nelle navate altissime della chiesa si spense con l'ultimo sospiro di una delle donne più generosamente appassionate e delle menti più fervide del Messico postrivoluzionario.

23.

"HOLLYWOOD ES UNA MIERDA"

Tina Modotti si diceva *encantada* dalla piccola casa di Nahui al 18 di calle 5 de Febrero: un'*azotea* – via di mezzo tra "attico" e soffitta riadattata ad abitazione – che disponeva di una graziosa terrazza piena di fiori frequentata da un paio di gatti e da un pappagallo che sembravano andare perfettamente d'accordo, e le cui mura esterne erano ricoperte di *azulejos*. Il tutto incastonato in un edificio coloniale tra i più belli della zona. Tina vi andò varie volte, in compagnia del pittore Jean Charlot e della scrittrice Anita Brenner, che annotò sul suo diario: "Una piccola casa deliziosa e pittoresca, forse un po' leziosa, ma Tina la trova incantevole". Nel settembre del 1927 Nahui fece stampare un invito per la Exposición de Desnudos che si sarebbe tenuta nel suo appartamentino e sulla terrazza assolata. Un successo e uno scandalo. I ritratti erano del fotografo Antonio Garduño, allora giovane di talento in rapida ascesa nel panorama dell'arte fotografica messicana. Nahui vi compariva nuda in varie pose, quasi tutte al chiuso di uno studio tranne alcune, scattate in riva all'oceano. E queste ultime erano senz'altro le più riuscite: il corpo flessuoso di Nahui si inarcava stagliandosi sullo sfondo di un orizzonte sfocato, formando una sorta di arcobaleno denso di splendore sensuale, simile a uno zampillo di armonica energia erotica, oppure la si vedeva adagiata sul bagnasciuga, morbidamente abbandonata alla risacca che la lambisce, la pelle ambrata che risaltava nella spuma candida... Fra le pose in studio ne spiccava una in particolare: Nahui sdraiata su quello che sembra un palcoscenico, con il panneggio del sipario dietro di lei a evocare i tronchi di un fitto bosco in penombra, il braccio disteso e la mano aperta, abbandonata, la linea sinuosa che va dal polso alla punta del piede sovrastata dal seno e dal *vello púbico*... E proprio su quest'ultimo dettaglio si concentrarono entusiasmi e reazioni scomposte: i primi salutarono la caduta di un tabù, ci furono critici che definirono la mostra "un atto rivoluzionario nei confronti dei costumi sessuali, l'affermazione della nuova donna libera da inibizioni e falsi pudori", mentre le seconde comparvero ovviamente sulla stampa bigotta, *prensa de sacristía*, come si diceva allora, che ignorò l'arte fotografica di Garduño accanendosi sul "libertinaggio" di Nahui.

La folla si accalcava davanti al 18 di calle 5 de Febrero, la fila si snodava su per le scale. Il minuscolo appartamento era intasato di gente accalorata, euforica, attonita, imbarazzata, comunque rapita dall'ardire di una donna che si mostrava nuda in casa propria e per giunta presente, per nulla intimidita da quegli sguardi attenti, in molti casi morbosi, più spesso ostentatamente distaccati per rimarcare un punto di vista critico che in realtà non poteva essere immune dal fascino che quella bellezza esposta irradiava. Nahui si aggirava disinvolta e allegra, offriva da bere, commentava le foto con chiunque e lasciava esterrefatti molti dei presenti descrivendo i dettagli dei luoghi, dove fosse la tale spiaggia su cui si rotolava nuda tra le onde, l'ora in cui era risultata migliore la luce, di che colore un certo scialle che le scivolava tra le cosce, e si divertiva a vedere migliaia di occhi febbricitanti che restavano fissi su capezzoli e ventre, soffermandosi sul tanto vituperato o decantato *vello púbico*, per poi ascoltare forbite disquisizioni sulla tecnica fotografica di Antonio Garduño da parte di chi, al contempo, la squadrava nei punti cruciali, quasi a voler ripetere l'incanto immaginandola com'era sotto il vestito, viva e pulsante, emersa miracolosamente dalla piatta consistenza delle stampe virato seppia. Nahui si godeva quel momento di inebriante celebrità senza illudersi di aver sovvertito la morale dell'epoca, senza pretendere di aver acceso la miccia di una rivoluzione. Versava tequila nei bicchierini *caballitos* e continuava a ripetersi come sempre: "Ho un corpo così bello che non potrei mai negare all'umanità il diritto di contemplare quest'opera".

Era il 1927. E per quanto qualche attrice italiana del muto osasse mostrare un seno in pochi fugaci fotogrammi, occorre tener conto della cosiddetta "morale dell'epoca". Ma per Nahui era il 1927 di Città del Messico, la metropoli più disinibita, in cui si consumava una forsennata, a tratti delirante, demolizione di ogni moralismo. I comportamenti provocatori erano spinti da un genuino bisogno di libertà individuale e collettiva, e quella era la Città del Messico "postrivoluzionaria" dove si stava finalmente realizzando una vera rivoluzione, quella che incrinava pregiudizi consolidati, che metteva in discussione i rapporti tra uomo e donna, tra sfera politica e sfera privata, tra arte e commercializzazione... La Città del Messico irripetibile e memorabile degli anni venti mostrava al mondo un volto spregiudicato, pur racchiudendo nelle sue viscere le vestigia del vecchio regime, strati di pervicace oscurantismo ai quali erano pronti a dar voce i giornali cosiddetti "popolari", quelli che facevano leva sugli istinti più bassi e rozzi dei poveri di spirito, di chi è terrorizzato dal cambiamento, di chi prova paura di fronte alla diversità. Il tentativo di linciaggio fallì, anzi, fu un clamoroso errore: anziché ignorarla, i fogli della piccola borghesia retriva la attaccarono ricorrendo alla solita terminologia triviale, definendola oscena e lussuriosa. Con il risultato di far crescere l'interesse per la mostra delle foto di Garduño, che dal 20 al 30 settembre 1927 registrò un afflusso di visitatori inaudito, tra i quali niente meno che il ministro della Pubblica Istruzione José María Casauranc e il ministro delle Finanze Luis Montes de Oca, entrambi talmente entusiasti da rilasciare ai cronisti dichiarazioni del genere: "Queste fotografie sono emblematiche della libertà della donna messicana, che relega nel passato i legacci e le pastoie di un moralismo abietto, sono il fragoroso crollo del vecchio che cede il passo al nuovo".

Cose che accadevano solo a Città del Messico negli anni venti, dove un ministro delle Finanze poteva anche essere preso per un eccentrico, ma quello della Pubblica Istruzione, *válgame Dios*, si può immaginare quali rancori e furori suscitasse nelle famiglie abituate ad affidare l'educazione dei propri rampolli alle scuole gestite dal clero erede dell'Inquisizione spagnola.

Negli stessi giorni dell'Exposición de Desnudos, Nahui prese a frequentare un giovane pittore, Matías Santoyo, rinomato nella capitale per le caricature di personaggi celebri e di politici eccellenti, dotato di una verve satirica sferzante che, se veniva ammirata da molti, gli procurava non poco astio da parte delle sue vittime. Matías era fine, delicato, sensibile. Nahui credette di essersi innamorata, o volle convincersene, soprattutto per ostentare la nuova relazione in pubblico e davanti a Gerardo, che usciva inevitabilmente perdente dal confronto con quel giovane bello e prestante. In quel periodo Nahui dipinse alcuni quadri di notevole impatto visivo, dove i corpi nudi – il suo allacciato a quello del giovane amante – trasmettono una plasticità ammaliante, forme di materia fluida che si uniscono creando figure sospese nel vuoto e stagliate contro paesaggi eterei, su una terrazza assolata o di fronte a una vetrata oltre la quale si stende la città azzurrina dell'immaginazione, la città ideale: il villaggio degli artisti in contrasto con il grigio agglomerato urbano di affaristi e politicanti.

Matías era conteso dai migliori teatri per disegnare le

scenografie, pubblicava sulle più famose riviste dell'epoca – collaborava anche con la prestigiosa "Grecas" di New York – ed era stimato negli ambienti artistici statunitensi. Come amante si rivelò tenero e appassionato, e Nahui lo apprezzava anche per questo, oltre che per i ritratti e le lettere struggenti che le scriveva. Grazie ai contatti di Matías Santoyo, e alla fama della sua bellezza che aveva ormai valicato la frontiera nord, sul finire del 1927 Nahui fu invitata a Hollywood per fare alcuni provini. A volerla vedere attraverso l'obiettivo di una cinepresa erano niente meno che Rex Ingram e Fred Niblo, abituati a dirigere attori come Rodolfo Valentino, Douglas Fairbanks, e soprattutto Greta Garbo...

L'arrivo a Los Angeles fu trionfale: Nahui e Matías erano ospiti di un grande albergo, furono accolti da uno stuolo di reporter e, in una tempesta di flash, lei rilasciò subito le prime interviste, un po' frastornata ma disinvolta nel rispondere a chi le chiedeva quali fossero le sue aspirazioni, che genere di film fosse disposta ad accettare, fino a che punto intendesse "scoprirsi"... Di lì a pochi giorni si scoprì integralmente: la Metro Goldwyn Mayer la fece fotografare nuda, in tutte le posizioni che l'"arte" consentisse, accordando poi alla rivista messicana "Ovaciones" l'autorizzazione a pubblicare quegli scatti a sud del Río Bravo. Nahui non ebbe remore a mostrarsi senza veli – o giocando con un velo che rendeva ancor più erotiche quelle immagini –, a comparire davanti a cinepresa e macchina fotografica con una vestaglia che poi si apriva sui seni e sul ventre, che lasciava scivolare sui piedi, inarcandosi contro la parete per mettere in evidenza i glutei muscolosi, o fingendo pudore nel coprirsi un seno mentre il lembo della seta ricamata lasciava allo scoperto il triangolo scuro fra cosce e ombelico, o semplicemente mostrando il pube a braccia spalancate, sollevando lo scialle come un sipario che annunciava lo spettacolo del corpo più rigoglioso e sensuale di quella Hollywood falsamente disinibita.

A Città del Messico "Ovaciones" andò a ruba, a Los Angeles scatenò commenti lascivi e volgari: era arrivata una messicana pronta ad aprire le gambe per scalare le vette del successo cinematografico.

Quando le proposero i primi copioni, Nahui mandò tutti all'inferno. Era stata ingenua: aveva creduto che il suo corpo nudo venisse preso per un'opera d'arte. No, volevano solo che oltre alle nudità – concesse soltanto per i provini e poi parzialmente, molto parzialmente, nei film destinati a incassare e quindi a evitare i tagli della censura – si prestasse a recitare parti da femmina in calore che, da vestita, avrebbe emanato più volgarità che da nuda. Ruoli da donna di facili costumi, da "svergognata", da esotica mangiatrice di uomini. Storie squallide, trame inconsistenti, comparsate per mostrare un capezzolo di sfuggita e restare immobile a subire l'impeto dell'uomo che aveva perso la testa per lei e che solo una tragedia familiare restituiva, pentito, al focolare domestico.

Fu una tale frustrazione, la parentesi hollywoodiana, che appena tornò in Messico Nahui scrisse una sorta di invettiva contro la mercificazione della sessualità, uno sfogo contro l'ambiente pruriginoso del cinema statunitense che le era apparso come un verminaio di farabutti e un vivaio di mediocri, otto pagine di veemente rivendicazione del diritto a godere del proprio corpo senza doverlo svendere, senza che ciò significasse usarlo come merce di scambio per una carriera a cui non aspirava. Fece pubblicare lo sfogo – in prosa calibrata, a tratti poetica, con frequenti riflessioni che sfociano in accuse vibranti – a proprie spese, in un periodo di ristrettezze tale che la soddisfazione di vederlo stampato le costò tre giorni di digiuno. Perché se le prime settimane le aveva trascorse in sontuosi alberghi pagati dalla Metro Goldwyn Mayer, una volta rifiutate le proposte aveva dovuto provvedere sia all'alloggio che al sostentamento, senza poter contare su alcun compenso per il "disturbo". Negli ultimi giorni di permanenza a Los Angeles era andata a trovare Edward Weston, che aveva lasciato il Messico in preda a una profonda crisi esistenziale. Weston aveva annotato sul suo diario:

Ombre dal Messico: chi è apparso ieri sera? Niente meno che Nahui Olín! Sono rimasto a bocca aperta vedendola... Matías Santoyo l'avevo conosciuto di sfuggita, mi ha fatto una caricatura mettendo in risalto alcuni punti caratteristici della mia figura... Nahui mi ha dato un suo libro uscito di recente. Per la copertina ha usato una delle mie fotografie, peccato che non sia fra quelle di cui vado orgoglioso, perché il ritratto che ho inserito nella mia collezione resta fra le migliori opere che abbia mai realizzato. Nahui e Matías erano al Biltmore: come diamine ci saranno finiti? Li ho aiutati a trovare un alloggio migliore, lì pagavano otto dollari per un antro che hanno la sfrontatezza di chiamare stanza.

Nahui, una volta tornata in Messico, se a chiederle notizie dell'esperienza nella mecca del cinema era qualcuno con cui aveva confidenza, liquidava l'argomento piuttosto seccamente: *"Hollywood es una mierda"*.

Il rapporto con Matías Santoyo finì senza liti furibonde, senza rancori, senza strascichi né ripensamenti. Semplicemente, si persero di vista.

24.

"BALAS Y BAILES"

Dipingeva, scriveva, ma non le bastava. Si procurò un vecchio pianoforte a coda, ingaggiò tre scaricatori al mercato della Merced che per pochi pesos glielo portarono fin sull'*azotea* giurando che per nessun'altra l'avrebbero mai fatto, e riprese dimestichezza con la tastiera. All'inizio si limitò a esercitarsi su brani classici che già conosceva, affinò le capacità di lettura, si avventurò in variazioni sul tema, poi in improvvisazioni... Finché decise di comporre. Scrisse ben due concerti per piano e orchestra, ma non aveva i soldi per farne delle copie e con il tempo gli spartiti sarebbero andati smarriti. Suonava, dipingeva, scriveva, e intanto meditava di trasferirsi altrove, magari sul mare, dove non tornava dai giorni delle foto di Garduño, rimpiangeva il sole del Tropico e le carezze dell'oceano...

Il 1928 fu un anno fatidico per la storia del Messico. *Balas y bailes* continuavano a imperversare. Pallottole che fischiavano in strada, si abbattevano sugli avversari politici o sugli amanti fedifraghi, detonazioni che si perdevano nel fragore diffuso dei balli sfrenati, in una città gaudente, irriverente e al tempo stesso spietata. Ballavano in pubblico la leggiadra Nellie Campobello o la conturbante María Conesa, e intanto il presidente Álvaro Obregón cadeva sotto le pallottole di un fondamentalista cattolico, uno dei famigerati Cristeros. Era il 17 luglio, Obregón si era ricandidato violando un tabù della politica messicana ed era stato rieletto: preannunciava l'ennesimo giro di vite sui poteri e sui beni del clero, quando un giovane fanatico lo crivellò di revolverate al tavolo del ristorante La Bombilla. *Bailes y balas* intrecciavano le traiettorie secondo i capricci del destino: l'assassino di Obregón era appena uscito dalla casa della ballerina María Conesa, la Gatita Blanca, e Obregón, a sua volta, aveva combattuto contro Pancho Villa, che secondo alcuni sarebbe stato il padre della ballerina Nellie Campobello...

Pallottole e balli, sparatorie e feste, morte e risate. La Morte rideva, e i vivi ridevano con lei. Nahui accompagnava al piano le danze di una società che stava portando tutto all'estremo, le contrazioni di una metropoli che soffriva le doglie di un parto travagliato: il figlio concepito dall'Ideale rivoluzionario che aveva fecondato la Modernità, a sua volta figlia illegittima del Conquistatore coloniale che aveva stuprato la Tradizione indigena. Era la dolorosa nascita del Messico moderno, imperscrutabile miscuglio di avanguardia culturale e arretratezza, spregiudicato in politica e vulcanico nell'arte, visceralmente estremo in tutto e assolutamente incomprensibile per chiunque non fosse messicano.

Il generale Obregón ammirava María Conesa, che anche lui chiamava Gatita Blanca, come tutti a Città del Messico e anche all'Avana, dove contava su un notevole stuolo di adoratori delle sue gambe agili e del suo visetto da gattina candida e delicata. Obregón andava sempre a trovarla in camerino dopo lo spettacolo, aggiungendosi alla lunga fila di personalità che la aspettavano in un tripudio di rose rosse e speranze poi immancabilmente deluse. E nutriva per lei il rispetto del soldato, sapendola coraggiosa fino all'incoscienza: era ormai entrato nella leggenda l'episodio del 1915, quando i carranzisti occupavano la capitale ingaggiando furibonde sparatorie con le retroguardie zapatiste nel centro della città e María, allora venticinquenne, non voleva per nulla al mondo arrivare in ritardo al Teatro Colón. Avevano tentato di dissuaderla: "Signora, è troppo pericoloso, potrebbe restare uccisa dal fuoco incrociato". E lei, sorridente: "In questo paese mi rispettano persino le pallottole". Schivandole, era arrivata puntuale sul palcoscenico a ricevere le consuete ovazioni.

Una carriera folgorante la sua, iniziata nel 1907, ancora minorenne, con il clamoroso successo dell'operetta *La Gatita Blanca*. Maliziosa nei movimenti, ammiccante negli sguardi, senza dubbio impudica per l'epoca, María Conesa spinse un celebre critico teatrale a scrivere: "Faccio fatica a definirla artista, questa ballerina e cantante il cui corpo sprizza sensualità da tutti i pori, ma devo ammettere che è disinvolta, possiede il talento della provocazione, e recitato da lei persino il Padre Nostro risulterebbe un attentato al pudore".

José Guadalupe Posada, il magistrale disegnatore che ebbe il merito di elevare ad arte le *calaveras* e le *catrinas* – gli scheletri irriverenti divenuti icone del Messico universalmente conosciute –, la ritrasse allegramente scarnificata ma sottilmente lussuriosa: un *memento mori* per nulla macabro ed esplicitamente erotico.

Quando un "ispettore teatrale" le inflisse una multa salata a causa del testo di una canzone "indecente", l'indomani sui giornali fioccarono le firme di sostenitori indignati che formarono addirittura un comitato, raccogliendo in pochi giorni la somma necessaria a pagare la multa. Il motto che li unì fu: "Abbasso l'ipocrisia e in alto le sottane!". E la Gatita Blanca le sollevò sempre più in alto sfidando la censura, costretta ad arrendersi di fronte al clamoroso successo di pubblico e al potere di certi influenti ammiratori. Beniamina dei soldati rivoluzionari delle opposte fazioni, che si avvicendavano davanti al camerino dimenticando il precedente passaggio di qualche odiato avversario, María Conesa finì per rappresentare la parte frivola del caos, l'irreprimibile capacità dei messicani di divertirsi anche nel pieno di una guerra civile. Abile nel tenersi in equilibrio fra ironia e trivialità, divenne maestra nell'arte popolare dell'*albur*, il gioco dei doppi sensi che lasciano intendere senza dichiarare apertamente, e, per quanto non eccellesse nel canto, i testi delle sue operette scatenavano le platee e minacciavano di far crollare i loggioni. Non era bellissima, ma possedeva un fascino particolare, tanto che già Porfirio Díaz l'aveva notato: quando un giorno il segretario personale gli disse che un suo stretto collaboratore, sposato e con figli, aveva perso la testa per la Gatita Blanca, il vecchio dittatore sbottò: "Lei sarebbe in grado di fornirmi un elenco dei messicani che non sono innamorati di María Conesa?".

Poi la Revolución irruppe nel mondo gaudente dell'operetta e dell'avanspettacolo, Emiliano Zapata entrò a Città del Messico alla testa delle sue truppe contadine e quando si acquartierò in una *hacienda* nelle campagne della periferia María Conesa andò a fargli visita con la sua compagnia di attori al completo. Il Caudillo del Sur era un uomo austero e dall'espressione impenetrabile. L'orchestra suonava nel cortile. María invitò Emiliano a ballare. Lo fece con tale semplicità e cortesia, che lui non seppe rifiutare. Fu probabilmente l'unica volta che lo si vide danzare in pubblico, un po' impettito e imbarazzato ma con un certo senso del ritmo. Non sorrise neppure in quell'occasione: al termine, le baciò la mano facendo un inchino galante e si ritirò con discrezione.

E venne il turno di Pancho Villa. In questo caso fu il Generale della División del Norte a recarsi a teatro per togliersi la curiosità. L'operetta si intitolava *Las musas latinas* e, nella scena conosciuta come *Las percheleras*, lei era solita scendere in mezzo al pubblico cantando e agitando un affilato pugnale con cui si divertiva a forare il sombrero di qualche estasiato spettatore. Quella volta, giunta davanti a Pancho Villa, gli si sedette sulle ginocchia e avvicinò il pugnale al suo petto... I Dorados che attorniavano il generale, i suoi uomini più fidati, stavano per immobilizzarla ma lui li fermò con un cenno. María, continuando a cantare, sotto gli sguardi attoniti del numeroso pubblico prima scompigliò i capelli a Villa e poi, appoggiata la lama sulla giubba, fece saltare via un bottone. Un istante dopo sgattaiolava verso il palcoscenico. A Pancho Villa sembrò un inequivocabile gesto carico di promesse. Era pronto a strapparserli tutti lui, i bottoni, se lei lo avesse lasciato entrare nel camerino. L'avrebbe sposata subito, come faceva con tutte le donne di cui si innamorava. Ma la Gatita si rinchiuse nella foresteria del teatro, restandoci per giorni, finché Villa e la División del Norte non lasciarono la capitale. Quella volta pensò di aver esagerato.

María Conesa si permise ogni sorta di provocazione e la passò sempre liscia. Ma negli anni venti rischiò di essere travolta dallo scandalo della famigerata Banda del Automóvil Gris, l'unico azzardo di cui non era responsabile.

Nel 1914 un avventuriero spagnolo, Higinio Granda, pregiudicato per diversi reati nel suo paese, comparve in Messico dove il fratello, sincero rivoluzionario, combatteva nelle file zapatiste. Sfruttando la reputazione dell'ignaro fratello, Higinio mise insieme una banda di rapinatori che, spacciandosi per soldati dell'uno o dell'altro schieramento, perquisivano le case di famiglie altolocate con la scusa di cercare armi e si appropriavano di denaro in contanti e gioielli. Furono ribattezzati Banda del Automóvil Gris perché arrivavano a bordo di una grossa vettura grigia. Emiliano Zapata, informato del caso, ordinò immediatamente di identificarli e catturarli. Gli zapatisti, immuni dalla corruzione che imperava tra le file degli avversari, non ci misero molto ad arrestarli: Higinio Granda finì nel carcere di Belén, a Città del Messico, in attesa di essere giudicato e con ogni probabilità fucilato. Ma di lì a poco, nell'agosto del 1915, le truppe zapatiste dovettero lasciare la capitale ed entrarono quelle carranziste, al comando del generale Pablo González, che divenne anche capo della polizia... e inspiegabilmente Higinio Granda poté evadere e ricostituire la banda. Cambiarono auto, usando un modello più recente e più veloce, ma sempre grigio. Ripresero a depredare le abitazioni di facoltosi professionisti, dove si presentavano con divise e mandati di perquisizione apparentemente legittimi, con tanto di timbri governativi. In città cominciò a diffondersi la voce che la banda avesse agganci nel governo e molti affermavano che fosse coinvolto lo stesso generale Pablo González, sospettato di fornire protezione ottenendo in cambio una parte del bottino. Poi la figlia dell'ingegner Mancera, la cui villa era stata svaligiata dai falsi militari dell'automobile grigia, dichiarò che María Conesa portava in pubblico un paio di orecchini di smeraldi che appartenevano a lei, e che a regalarglieli era stato il generale Juan Mérigo, dello stato maggiore di Pablo González. Scoppiò uno scandalo *mayúsculo*. María Conesa negò, si indignò, si rivolse a Carranza in persona, ma fu tutto inutile: la *vox populi* si era ormai propagata e associare alla funesta Banda del Automóvil Gris proprio la donna che aveva suscitato tante attenzioni pruriginose da parte dei benpensanti sembrò a molti il naturale epilogo di una vita all'insegna della trasgressione.

Nel dicembre del 1915 venne catturato in circostanze apparentemente fortunose uno dei membri della banda, Luis Lara, che, sottoposto a un serrato interrogatorio, fece i nomi di altri dieci complici. Ma di Higinio Granda nessuna traccia: curiosamente, la polizia di Pablo González, i cui metodi erano alquanto convincenti, non riuscì a estorcere agli arrestati notizie del loro capo indiscusso.

Condannati alla fucilazione, un minuto prima che il plotone aprisse il fuoco giunse l'ordine del generale González che ne graziava quattro: stando alle dichiarazioni ufficiali, avrebbero potuto fornire elementi utili a recuperare la refurtiva. Nel 1918 uno dei quattro, Rafael Mercadante, moriva avvelenato in cella. Pochi giorni dopo, il braccio destro di Higinio Granda, tale Francisco Oviedo, veniva ucciso da un detenuto durante l'ora d'aria. Il terzo, José Fernández, evadeva grazie a chissà quali appoggi, per poi finire pugnalato l'indomani. L'ultimo rimasto, Luis Lara, sarebbe riuscito a fuggire mentre lo trasferivano per un interrogatorio: pochi giorni dopo il suo cadavere fu rinvenuto in una discarica.

Nel 1919 Carranza, d'accordo con Obregón, affidò le indagini a un giudice di sua fiducia, Fernando de la Fuente, che prosciolse definitivamente il generale Pablo González dal sospetto di essere stato il mandante occulto della banda. E nell'istruttoria sancì che sia Mérigo che María Conesa erano estranei ai fatti.

Nel 1923 lo scandalo tornò sulle prime pagine dei giornali: Juan Mérigo, caduto in disgrazia, rilasciò un'intervista a "El Demócrata" in cui affermava: "L'intero quartier generale della División de Oriente era in combutta con la Banda del Automóvil Gris". Cioè lo stato maggiore di Pablo González. Che nel frattempo aveva organizzato per conto di Carranza l'assassinio di Emiliano Zapata attirandolo in un agguato con il pretesto di negoziare la pace, per poi vedersi spedire in esilio – negli Stati Uniti, dove godeva di riconoscenze governative per i servigi resi – su "consiglio" di Álvaro Obregón che, divenuto presidente, si affrettò ad allontanare quella stessa feccia di cui si era servito per conquistare il potere. Mérigo non accusò esplicitamente María Conesa, ma lasciò credere di aver avuto una relazione con lei e di averle davvero regalato quegli orecchini di smeraldo. La diva dell'operetta messicana avrebbe dovuto aspettare il 1959 per ottenere un processo che la scagionasse definitivamente da quell'intricata storia di crimine e potere, i cui veri protagonisti furono maestri del voltafaccia e del tradimento. La vicenda dell'Automóvil Gris l'aveva profondamente segnata, mentre l'amarezza si sostituiva gradualmente alla frivolezza, e se buona parte della stampa le tributò il rispetto che si deve a una diva sul viale del tramonto, non mancarono certo le pagine dedicate ai suoi trascorsi ambigui o quanto meno contorti, come aver prestato la sua grande casa sulla Glorieta Condesa – nell'allora prestigioso quartiere residen-

179

ziale Colonia Hipódromo – per le riunioni dei "credenti perseguitati" senza rendersi conto che fra loro c'erano gli organizzatori di svariati attentati terroristici.

Nel 1928 María Conesa, trentottenne, aveva una relazione con il generale José Álvarez, uomo forte del governo e vicecapo di stato maggiore, incaricato di applicare le severe leggi contro le ingerenze del clero nella vita politica messicana. María, che non condivideva la furia anticattolica delle autorità statali, si limitava a ospitare saltuariamente nella propria dimora quelle che credeva preghiere collettive: quale luogo più insospettabile, visto che lì viveva anche l'*incorruptible* generale Álvarez? La polizia non avrebbe mai osato farvi irruzione. Ma li teneva d'occhio ugualmente, quei tipi dall'aria contrita che andavano a recitare il rosario e intanto oliavano pistole e fucili. Tuttavia, la discreta sorveglianza non impedì che dalla casa di María Conesa uscisse, quel fatidico 17 luglio, il giovane che vuotò il tamburo del revolver sul corpo del presidente – che nel frattempo era stato appena rieletto per il suo secondo mandato – Álvaro Obregón: i classici due piccioni con una fava. Il tabù della rielezione veniva preservato e la repressione contro i Cristeros poteva scatenarsi senza freni. Il generale Álvarez finiva distrutto da un volgare contrabbando di calze di seta – un vagone ferroviario intero – di cui probabilmente non sapeva nulla ma che, ironia della sorte, era perfettamente in linea con l'epoca di *bailes y balas*. Calze di seta contrabbandate dagli Stati Uniti e Smith & Wesson con la matricola limata. In qualunque modo la si ponesse, gli Stati Uniti c'entravano sempre e dopo una breve permanenza nelle patrie galere María Conesa, sospettata di complicità con l'assassino, se ne andava in esilio a Los Angeles. Dove comunque l'aspettavano migliaia di ammiratori festanti e una concreta proposta di girare film a Hollywood. La stampa frivola della mecca del cinema la accoglieva con entusiasmo, mentre la stampa messicana la linciava: svergognata, antipatriottica, in combutta con i terroristi, concubina di un generale smerciacalze e svenduta alla mercificazione d'oltre Río Bravo... Lei, in quei frangenti, dedicava tutte le sue energie a smentire illazioni – compresa quella che stesse per farsi suora – e voltò le spalle a Hollywood per tornare al teatro. Ma più a Cuba che negli Stati Uniti, perché, prima a Los Angeles e poi a New Orleans, persistevano i consueti problemi con il permesso di soggiorno e di lavoro, peraltro risolvibili se María avesse ceduto alle lusinghe di un colonnello dell'esercito che le fece la seguente proposta: "Se mi sposa, divina María, sarà cittadina statunitense a tutti gli effetti". E lei rispose: "Cosa mi importa di diventare colonnella negli Stati Uniti se in Messico ero già *generala?*".

Nel 1930 tornò nel suo Messico, accolta dalla solita folla acclamante e dalle solite bordate della stampa gazzettiera.

Antitesi della Gatita Blanca fu Nellie Campobello, diversissima da lei per temperamento, stile di vita, carriera artistica, convinzioni politiche. Diede pochissimo da parlare ai pettegoli, ma in compenso si fece notare per la sua appassionata militanza rivoluzionaria. E soprattutto per il suo spessore intellettuale, che fece di lei la suprema scrittrice della Revolución, la voce degli oppressi in armi, capace di trasformare in letteratura le sventure dei *peones* di Pancho Villa, nelle cui file militavano due dei suoi fratelli, poi morti in combattimento. E tutto questo, danzando sui palcoscenici di mezzo mondo, dal Messico all'Europa, dai vicini Caraibi alla lontana Russia.

Una vita densa di misteri culminata in una fine nel nulla, quella di Nellie Campobello. Si chiamava probabilmente María Francisca Moya Luna, nata forse nel novembre del 1900 (lei sarebbe stata sempre piuttosto vaga circa la sua età) nella cittadina *norteña* di Villa Ocampo, Durango; si trasferì poi con madre e fratelli a Hidalgo del Parral, nel Chihuahua,

181

teatro delle leggendarie gesta di Pancho Villa. Crebbe fra sparatorie, cariche di cavalleria, attacchi e contrattacchi, fucilazioni sommarie e feroci vendette: prese dimestichezza con la morte e soprattutto con i morti, che erano poi le persone che fino a poco prima la tenevano in braccio o sulle ginocchia, che la vezzeggiavano e le narravano le imprese degli eroi, o semplicemente stavano lì, gli sguardi velati di rimpianto rivolti alle montagne sullo sfondo dell'onnipresente deserto. Facce di uomini e donne umili che il destino aveva condotto sul baratro della storia e la dignità costringeva a non cedere di fronte all'avanzata del nemico. E capitava che in mezzo alla polvere, emergendo dal fumo delle granate, magari trascinando una mitragliatrice presa al *lazo*, apparisse un uomo assurdamente allegro, dall'ampio sorriso sotto i baffoni scuri, in sella a una giumenta nera e lucida di sudore. Quell'uomo sarebbe rimasto l'unico per Nellie-María Francisca a meritare rispetto eterno: Doroteo Arango, per tutti Pancho Villa.

Nel 1923 si trasferì a Città del Messico, dove diventò Nellie Campobello, allieva di una rinomata scuola di danza e di lì a poco ballerina di fama nazionale, emblema vivente della cultura postrivoluzionaria. Alle spalle si lasciava un dolore inconsolabile: la perdita dell'unico figlio, Raulito, morto di una misteriosa malattia. L'aveva avuto a diciotto anni da un uomo rimasto sconosciuto, un uomo di Chihuahua, "la città dalle strade lunghe e tristi, tracciate da braccia forti, braccia che divorano", come Nellie avrebbe scritto tempo dopo. Eppure, per quanto avesse amato quel bambino, in futuro lo avrebbe attribuito alla madre, "tardivo figlio naturale", senza padre come lei e gli altri suoi fratelli e sorelle, negando di averlo mai partorito.

Nella capitale frequentò lo scrittore Martín Luis Guzmán, autore di romanzi che narravano le complesse vicende della guerra civile: più tardi il rapporto di lavoro e di amicizia si trasformò in amore, eppure entrambi continuarono a fingere distacco in pubblico, lei lo chiamava "señor Guzmán" e lui "señorita Nellie". In una tournée di danza tradizionale messicana all'Avana conobbe Federico García Lorca, inquieto giramondo, e di lui scrisse: "Sopracciglia folte, enormi occhi moreschi, bocca carnosa che trasmetteva i segni amari di una costante tragedia. Non lo avrei più rivisto, perché pochi anni dopo le pallottole franchiste lo avrebbero trasformato in un monumento, che il tempo e lo spazio sostengono su un piedistallo d'amore".

Nel 1929 il Doctor Atl lesse alcune sue poesie e ne rimase talmente colpito da decidere di pubblicarle nella collana che dirigeva per la casa editrice Lidan. Il libro si intitolava semplicemente ¡Yo! e l'autrice si firmava semplicemente "Francisca".

Nel 1930 alcuni suoi scritti comparvero sulla prestigiosa "Revista de La Habana" assieme a testi di Alejo Carpentier e John Reed. Nel novembre del 1931, mentre debuttava allo stadio nazionale con il balletto *30-30* di cui era interprete e coreografa, usciva *Cartucho*, il libro di racconti che avrebbe consacrato Nellie Campobello come la scrittrice della Revolución, l'unica che avesse saputo dar voce agli anonimi combattenti dimenticati, alle *soldaderas* silenziose e tenaci, alle tante donne che si prendevano cura dei feriti e seppellivano i morti tenendosi accanto i bambini, senza descrivere le grandi battaglie ma riscattando le testimonianze della cronaca quotidiana, la compassione per le vite spezzate, con una prosa asciutta, essenziale: la voce di una ragazzina che assiste agli eventi e li narra con disarmante schiettezza. Il paese osannava la danzatrice che aveva fondato il Ballet de la Ciudad de México, destinato a raccogliere successi nel tempo, e non si rendeva conto di avere di fronte una grande scrittrice.

Al crepuscolo di una carriera densa di onori e trionfi, Nellie Campobello fece la sua ultima comparsa alla Escuela Nacional de Danza, di cui era direttrice, il 18 febbraio 1983. Dopo, prese corpo uno dei misteri più tenebrosi del Messico contemporaneo: Nellie scomparve, restando per sempre né viva né morta, priva di una tomba e di una data, come se un destino beffardo si prendesse la rivincita per le tante volte che lei aveva cambiato quella di nascita. Si parlò di una coppia di governanti che l'avrebbero sequestrata e tenuta sotto sedativi sino a farla morire per impossessarsi dei suoi pochi beni: tra i quali però figuravano alcuni bozzetti di José Clemente Orozco per le scenografie dei suoi balletti, comparsi sul mercato nel 1988. Il successivo processo non portò a nulla di concreto: i presunti sequestratori, assistiti da un avvocato noto per i suoi legami con ambienti della malavita organizzata, vennero assolti per insufficienza di prove e in seguito scomparvero dalla circolazione. I resti di Nellie non furono mai ritrovati. Di lei rimangono soltanto i libri – soprattutto il magistrale *Cartucho* –, le interviste e le successive biografie, oltre al ricordo del maestoso balletto che, per le colossali proporzioni, rappresentò il capolavoro di una vita dedicata all'arte della danza.

Non ricordo neanche perché diamine ci fossi andata. Il balletto non mi ha mai attirato granché, figuriamoci poi quello spettacolo di massa che per metterlo in scena avevano dovuto usare uno stadio. Qualcuno mi aveva offerto il biglietto, però... non mi pare che ci fosse nessuno in mia compagnia. Sì, c'ero andata da sola. A quei tempi facevo fatica a mettere insieme i soldi per mangiare, figuriamoci se ne avevo per simili svaghi. Nellie Campobello, invece, me la ricordo bene: carina, un bel corpo sottile, aggraziato, ma un po' mascolina. Del resto interpretava spesso la parte del charro *danzando con sua sorella Gloria. I giornali la osannavano. Era diventata il simbolo stesso del nazionalismo rivoluzionario messicano, e infatti il balletto si chiamava 30-30, come la carabina degli* insurgentes, *il fucile che aveva "liberato" il paese... Da chi? Da cosa? A me sembrava che al potere ci fossero sempre le carogne e che i poveracci restassero sempre sotto,* los de abajo *per l'eternità... Balletto, poi, si fa per dire: era piuttosto un'adunata, manovre militari a passo di danza. Quattrocento ballerine vestite di rosso e di bianco, più gli uomini, altri quattrocento, a fare la parte di contadini e operai, molti in verde per completare il tricolore della bandiera, e uno stuolo di comparse, che alla fine in mezzo al campo ci saranno state tremila persone... Confesso che ero rimasta affascinata, all'inizio: tutta quella gente che si muoveva con una tale armonia, in perfetta coordi-*

nazione, sciamando da un'estremità all'altra del campo senza mai sbagliare, neanche un'incertezza o una sbavatura. Doveva averne di forza e pazienza, Nellie, per insegnare a ciascuno la propria parte, per realizzare quelle coreografie imponenti, e tanto carisma, questo sì: chi danzava con lei ne parlava in tono estasiato, con profondo rispetto... Ma io, dopo un po', a vedere tutte quelle invasate che correvano per centinaia di metri brandendo torce e fucili avevo in bocca un sapore rancido di populismo patriottardo, ripensavo ai proclami di Gerardo e di quelli come lui, così bravi a fare comizi e così cinici quando si trattava di ottenere il proprio tornaconto, ripensavo a mio padre e ai tanti illusi che avevano combattuto da una parte e dall'altra, le mille parti di una rivoluzione che alla fine era di tutti contro tutti e di pochi a sapere perché uccidevano e morivano... Non lo so. So solo che i cannibali avevano sempre la meglio, gli spietati restavano a galla e i poveracci mordevano la polvere... quelle graziose ragazze che danzavano con torce e fucili cosa accidenti ne sapevano della vita?

Il pubblico si spellava le mani e ruggiva con boati di giubilo, il presidente applaudiva e con lui i ministri, i deputati, i funzionari, e io intanto me ne tornavo a casa, con i miei gatti, i miei colori, il mio pianoforte, a fissare per ore i ritratti del mio Capitano, il mio marinaio forte e gentile, l'unica gioia di quegli anni maledetti...

25.

CAPITANO, BEL CAPITANO

Il cancro che ci consuma e opprime lo spirito, pur senza riuscire a debilitarlo, è il cancro che noi ben conosciamo – stigmate di donna –, il microbo che ci ruba la vita, alimentato da leggi prostituite dal potere legislativo, dal potere religioso, dal potere paterno, e certe donne di scarso spessore, povere di spirito, crescono come piantine dalla bellezza fragile, senza linfa, coltivate in giardini recintati per poi essere trapiantate in vaso – come arbusti vigorosi che vengono ridotti a bonsai – e si rattrappiscono in fiori anemici sbocciati al chiuso di una serra, poi, abituate all'aria asettica, il sole le brucia, la tormenta della vita le schianta al primo fragore... Ma ci sono donne dallo spirito forte, che pur essendo nate nelle condizioni di fiori coltivati non si lasciano vincere dal cancro che vorrebbe minarne l'istinto indipendente, e malgrado debbano lottare contro le molteplici barriere imposte dai mille poteri – e contemporaneamente con l'uomo a cui hanno glorificato lo spirito e concesso ogni vizio – continuano a lottare strenuamente per mantenere integra la coscienza della propria libertà...

Così scriveva Nahui in *Óptica cerebral*, nel brano dal titolo *Il cancro che ci ruba la vita*. Nel 1929 lasciò Città del Messico per trascorrere lunghi periodi a Veracruz, stanca della notorietà che non le concedeva requie, insofferente al clima che sentiva mutare e diventare sempre più opprimente: l'intensità degli anni precedenti le sembrava soltanto un ricordo, e tutto le appariva meschino, superficiale. Le capitava spesso di riflettere su certi comportamenti del recente passato ed era cosciente del fatto che stava cominciando a pagare il prezzo di tante reazioni impulsive, dell'aver messo in piazza gli affronti subiti, le delusioni, l'intimità dei rapporti. E persino ciò che lei – e buona parte dell'ambiente culturale in cui era la musa per eccellenza – considerava "arte", come i nudi immortalati da Garduño, stava contribuendo ad alimentare una ridda di leggende sempre più deliranti: Nahui la ninfomane che riceveva gli amanti in una sorta di ambulatorio ricavato in una stanza della sua casa, del tutto simile a quello di un dentista o di un ginecologo, dove si sarebbero formate file di uomini in attesa del proprio turno, mentre lei soddisfaceva sbrigativamente gli appetiti di ciascuno concedendo solo pochi minuti a testa, riservando un po' di tempo e di pazienza in più agli studenti, numerosi anch'essi, nei confronti dei quali avrebbe svolto la filantropica opera di svezzamento erotico... Nahui così insaziabile da adescare stuoli di scaricatori dei mercati generali, che affollavano l'ex convento della Merced durante le assenze del Doctor Atl... Arrivò a questo, il linciaggio dei pettegolezzi che proliferavano a dismisura, voci che, quando giungevano alle orecchie di Nahui, provocavano una risata cristallina, forse appena incrinata di nervosismo: erano talmente assurde da non meritare replica. Eppure, la fama della divoratrice di uomini si sarebbe diffusa al punto da diventare un luogo comune persino tra le donne che lei frequentava, basti pensare che Frida Kahlo, in una lettera scritta ad Alejandro Gómez nel 1925, diceva con risentita amarezza: "Non dimenticherò mai che tu, che ho amato quanto me stessa e forse di più, mi hai considerata come una Nahui Olín o addirittura peggio".

Si sentiva sola. Le donne che avevano condiviso l'intensa stagione dei tabù infranti, della libertà sessuale, del moralismo abbattuto sotto le picconate dei comportamenti scandalosi, o erano volate altrove – chi inseguendo un amore travagliato, chi cogliendo folgoranti successi – o si stavano dedicando alla militanza politica, e lei non riusciva ad appassionarsi a ideali che considerava transitori, illusori, condannati a rivelare prima o poi la vera natura di nuove catene e nuovi ceppi nella stessa prigione di sempre: quella che relegava la donna a comprimaria delle attività maschili o, peggio, a vivandiera in attesa del ritorno a casa del guerriero. La sua utopia, di questo ne era fermamente convinta, volava più in alto, spaziava al di là dell'orizzonte, non si accontentava di traguardi effimeri. Prima che l'ardore di un tempo si trasformasse in rancore, scelse la solitudine e partì portando con sé il cavalletto, la cassetta dei colori, un fascio di pennelli e qualche tela. Stabilitasi nel porto di Veracruz, prese a dipingere la vita quotidiana dei villaggi rurali, le feste patronali, le umili case dei contadini e dei pescatori, ritraendo un'esistenza genuina e proprio per questo nobile, degna di essere il soggetto di un quadro più che le grandi imprese del passato o i magniloquenti protagonisti del presente. Nei suoi dipinti dai colori caldi, solari, umidi come il clima di Veracruz e del suo entroterra, Nahui coglieva gli aspetti apparentemente più semplici della realtà in uno stile che altri avrebbero definito fauve, o genericamente naïf. Lei non si preoccupava di dove provenisse l'ispirazione o a quale corrente artistica si potesse ascrivere, e intanto celebrava quell'umanità anonima che popolava i campi coltivati, le piazze dei *pueblos*, le cantine sotto i Portales, il tendone di un circo o una giostra ambulante.

Donne e uomini dai volti allegri, *malgré tout*, persone che ogni giorno compivano l'atto civile e memorabile di fare del proprio meglio per rendere il mondo un luogo un po' meno triste e un po' più vivibile.

La solitudine non le pesava, anche perché nel giro di pochi mesi si ritrovò avvolta dal tepore di rapporti schietti con chiunque le capitasse di frequentare, e per tutti diventò ben presto La Pintora, la bella pittrice venuta dalla capitale; i corteggiamenti degli uomini che la invitavano a ballare alla musica delle onnipresenti marimba veracruzane erano piacevoli parentesi in una quotidianità dai ritmi rallentati, semplici occasioni per stiracchiare le membra intorpidite come una gatta rimasta troppo a lungo al sole.

Dipingeva su un molo l'andirivieni degli scaricatori, cercando sulla tavolozza gialli abbaglianti per i caschi di banane o rossi infuocati per il tramonto alle spalle della fortezza di San Juan de Ulúa, quando a un tratto lo vide.

Scendeva da una grande nave da crociera ormeggiata accanto al bastimento che caricava frutta tropicale e lei lo notò da lontano per l'impeccabile uniforme blu oltremare, i bottoni dorati che brillavano alla luce obliqua del sole calante, i gradi da capitano di lungo corso e gli alamari argentei, il berretto sotto il braccio su cui spiccava l'àncora cinta di alloro... Poi, quando le passò accanto, rimase colpita dagli occhi di quel marinaio: doveva essere sulla quarantina, era prestante, i movimenti eleganti, i tratti marcati nel bel viso bruno. Nahui lo guardava assorta, senza rendersi conto che lo stava fissando intensamente. E lui, con quegli occhi grandi, scuri, sovrastati da sopracciglia folte e nerissime, lo sguardo che sembrava avvezzo a distanze immense, a scrutare l'orizzonte oceanico cogliendo dettagli per altri insignificanti, lui, il capitano di lungo corso, ebbe un'impercettibile indecisione, come un pensiero o un ricordo che lo fece rallentare, voltarsi, tornare sui suoi passi. Nahui rimase a guardarlo con il pennello nella destra e la tavolozza nella sinistra, mentre lui si avvicinava e schiudeva le labbra – rosse, carnose, appena riarse dalla salsedine – in un sorriso aperto, amabile, il sorriso di un uomo di cui ci si poteva fidare, su un volto gioviale e al tempo stesso percorso da un'indecifrabile ombra di malinconia, soltanto un velo fugace che si dissipò all'istante quando la salutò e le disse:

"Permette? Capitano Eugenio Agacino. Non vorrei sembrarle inopportuno, ma ho la sensazione di averla già conosciuta. È possibile?".

"Nahui Olín," disse lei porgendo la mano, che lui sfiorò con le labbra accennando un inchino superbamente marinaresco. "Forse, chissà. Ho preso tante navi, nella mia vita..."

Il capitano la fissò a lungo negli occhi e Nahui sostenne lo sguardo avvertendo una corrente di reciproca attrazione.

"È sicura di non essere mai salita su quella?" le chiese indicando il transatlantico che troneggiava nel porto come un monumento alle sfide della navigazione.

Nahui si strinse nelle spalle, assumendo un'espressione indecisa. Intanto ammirò i capelli corvini pettinati all'indietro e il disegno perfetto della bocca, il naso pronunciato, virile, e già immaginava come ritrarlo, con quali colori rendere la luminosità oscura dello sguardo senza ricorrere mai al nero...

Il capitano si spostò di lato e studiò attentamente il quadro che lei stava dipingendo. Poi indicò con un cenno la tavolozza e, tornando a fissarla intensamente, aggiunse:

"Ha mai dipinto un autoritratto? Mi perdoni se sono così indiscreto, ma muoio dalla curiosità di sapere se è in grado di trovare una mescolanza di colori capace di rendere le stesse tonalità marine che vedo nei suoi occhi. Perché lei, sa, ha tutte le cangianti gradazioni dell'oceano, dallo smeraldo del Caribe al blu cobalto dell'Atlantico, e certe sere, sulle rotte del Sud, soltanto l'aurora boreale possiede quelle sfumature violacee...".

Il capitano Eugenio Agacino sarebbe salpato l'indomani all'alba, facendo rotta su New York per conto della Compañía Transatlántica Española, che gli affidava la migliore delle sue navi da crociera per condurla dalle coste europee a quelle americane. La sera, l'unica che avrebbe trascorso a terra, invitò Nahui a cena in uno dei più rinomati ristoranti di Veracruz. Lui, già abbagliato dalla sua bellezza, intuì l'intelligenza brillante di quella donna – poté solo intuirla perché lei parlò pochissimo, lasciando agli occhi ogni forma di comunicazione – mentre Nahui, affascinata dall'armonia che univa la rudezza essenziale del marinaio alla finezza del gentiluomo – era gradevole sentirsi al centro di tante attenzioni galanti –, si chiedeva come sfuggire alla trappola: il capitano Agacino le piaceva, una notte d'amore con lui sarebbe stata sicuramente un'esperienza piacevolissima, ma non si vedeva certo nei panni della "donna del porto di Veracruz", che aspettava il ritorno del marinaio e sperava di non essere confusa con altre di scali precedenti. Da qualche mese la sua attività sessuale era passata dal carnale aggettivo "sfrenata" all'etereo sostantivo "limbo", l'unico termine con cui credeva di poter definire quell'assenza totale di stimoli e desiderio. Era come se fosse in attesa di una svolta, un cambiamento radicale nella sua vita, e concedersi a un marinaio, a un bel comandante tenebroso e galante, poteva costituire un appagante sfogo momentaneo. Ma a differenza di quanto aveva fatto e vissuto negli ultimi anni, per la prima volta la prospettiva di qualche ora di sesso con un uomo attraente e vigoroso non la stuzzicava affatto. Tuttavia rimase sconcertata quando lui, conclusa la cena, non accennò minimamente all'ipotesi di visitare la nave da crociera, preludio di una notte nella lussuosa cabina del capitano. Si offrì invece di accompagnarla a casa in taxi e mentre Nahui stava cercando le parole adatte a spiegargli che casa sua era a Città del Messico e lì, a Veracruz, risiedeva in una modesta pensione, Eugenio Agacino risolse quell'attimo di imbarazzato smarrimento mettendo in chiaro che, dovendo salpare all'alba, si era ormai fatto tardi e le chiedeva perdono se non la invitava per un'ultima coppa di champagne al Circolo ufficiali, l'unico locale del porto dove gli tenevano sempre una bottiglia di marca decente in fresco, ma... "*Queda pendiente,*" mormorò lui quando giunsero davanti al portone, prima di scendere per girare intorno alla vettura e aprirle lo sportello. Le baciò la mano, la fissò negli occhi per un tempo indefinibile – eterno, le parve, e troppo breve comunque – e ripeté: "Allora ci conto, *queda pendiente* la nostra bottiglia del *rencuentro*".

"Sì, certo," pensò Nahui senza voltarsi indietro, sentendo il motore dell'auto al minimo, segno che lui aspettava di vederla entrare, da perfetto gentiluomo che si sincerava dell'avvenuto rientro della dama nel rifugio, "come no, *queda pendiente*, tanto non ci rivedremo mai più, e quella bottiglia te la scolerai con qualche gringa starnazzante rimorchiata a bordo, magari una vedova facoltosa o una giovane ereditiera, o un'attricetta di belle speranze, o una focosa ballerina di tango, o un'artista europea in cerca di emozioni ai Tropici... Niente *queda pendiente* nella mia vita, nulla resta sospeso nell'attesa di una promessa vaga, perché nessuno che abbia conosciuto ha mai mantenuto una promessa, e tu, mio bel capitano, mi dimenticherai."

Nahui si sorprese più volte a pensare al capitano Agacino, nel mese che trascorse da quella sera, e ogni volta scacciò la sua immagine dandosi della stupida: in fondo, cosa rimpiangeva? Di non poter serbare l'ennesimo ricordo di una nottata d'amore? Meglio così, perché almeno, fra tanti forsennati, impetuosi, scatenati o patetici amanti disposti a giurarle eterno amore, l'unico vero gentiluomo che avesse conosciuto da molti anni a quella parte – le ricordava suo padre, forse per via dell'uniforme impeccabile, ma questo pensiero lo affogò in una robusta sorsata di *mezcal* – era stato così imprevedibile da non trascinarla a letto rischiando poi di risultare uguale a tutti gli altri.

L'imprevedibile accadde alla fine del mese, quando un pomeriggio, verso il tramonto, uscendo dalla pensione con il cavalletto in spalla e la cassetta dei colori in mano, accaldata, sbuffando e imprecando per la chiave che non girava nella serratura, se lo ritrovò davanti, in mezzo alla strada, lo sportello del taxi spalancato, il berretto sotto il braccio, l'uniforme stavolta candida della stagione estiva – ma a Veracruz è sempre estate, pensò incongruamente Nahui, forse per non chiedersi cosa significasse quell'apparizione. Sorridendo, senza dire una parola, lui fece un inchino indicandole l'auto. Lei, con altrettanta disinvoltura, gli fece un cenno con le dita, l'indice e il pollice a voler dire "dammi solo un minuto", e tornò in stanza, si cambiò, rinunciò anche a un filo di trucco, si spruzzò una nuvola di profumo sul collo e tornò giù, accomodandosi in auto, fingendo di non essere affatto stupita, e con naturalezza si lasciò baciare la mano, guardò scorrere il panorama della città vecchia, osservò le navi alla fonda, ammirò il transatlantico pavesato con le luminarie delle grandi occasioni e lo seguì nel salone dei ricevimenti, dove un cameriere in livrea servì lo champagne in un secchiello tintinnante di ghiaccio. Brindarono come due fidanzati che si rivedano all'appuntamento prestabilito.

Poi Nahui posò la coppa, andò verso il monumentale Steinway a coda che troneggiava al centro del parquet tirato a lucido, si sgranchì le dita con gesto elegante e prese ad accarezzare i tasti con tocchi fugaci, delicati, quindi più decisi, incisivi, e nel vasto salone deserto, per lui soltanto, per il suo capitano, lasciò fluire uno sgocciolio di note melodiose, struggenti, con impennate di improvviso ardore, fino a trasformarsi in cascata impetuosa, travolgente, che lasciò attonito il suo ascoltatore. Eugenio Agacino, a onor del vero, dapprima era rimasto estasiato dalla visione delle superbe natiche di Nahui, da quel mandolino muscoloso che sporgeva dal sedile vibrando al ritmo della musica, quasi fosse percorso da scosse elettriche in perfetta armonia con la danza delle dieci dita sulla tastiera. Poi, senza rendersene conto, si perse nei meandri della memoria cercando di identificare i brani, la sonata, l'opera di chissà quale maestro del passato... O del presente, perché a un certo punto le approfondite conoscenze in materia gli andarono in corto circuito e credette di riconoscere autori russi contemporanei. Subito dopo si corresse: no, c'era dell'improvvisazione, o variazioni sul tema, o comunque libere interpretazioni di partiture che, lo ammise, ignorava assolutamente chi potesse averle scritte.

Ammaliato, rapito dalla musica di Nahui, Eugenio si abbandonò alle immagini che il torrente di accordi gli evocava: la furia della tempesta che flagella incessantemente Capo Horn, il vento tra i fiordi della Terra del Fuoco, l'acquietarsi delle acque in una laguna – Maracaibo, o la Baja California, o l'immensa foce del Río de la Plata –, la pioggia che sferza la piatta superficie del Tejo lasciandosi alle spalle Lisbona, una danza di delfini entrando nella rada di Veracruz...

Quando calò il silenzio e Nahui rimase per qualche istante immobile, la schiena eretta, brillante di sudore nella penombra rischiarata dai pochi abat-jour accesi sui tavoli, Eugenio era come inebetito, incapace di reagire. La guardava e provava un impellente desiderio di gettarsi in avanti e assaporare il sudore sul suo collo, sulla tenue linea della spina dorsale, prolungando il piacere del contatto su quella pelle di pesca imperlata dal caldo del Tropico.

Nahui si voltò. Era seria, quasi che un velo di tristezza fosse calato su quel viso splendidamente asimmetrico, leggermente imbronciato, e allora Eugenio Agacino sentì di essersi perdutamente innamorato. A ben poco valse la ragione, che cercò invano di far sentire la sua voce: fu tutto inutile, perché mentre la ragione dilatava il tempo lui si alzava e raggiungeva quella schiena nuda, si chinava sulle spalline di seta, appoggiava le labbra sull'incavo tra il collo e la spalla e cingeva quel corpo con le braccia, stringendo il ventre, salendo verso i seni – piccoli e duri come albicocche acerbe, fu il fulmineo pensiero che gli sarebbe rimasto impresso per anni –, e quando lei gli si abbandonò lasciva offrendogli la bocca, il capitano di lungo corso della Compañía Transatlántica Española, immemore della vita fin lì condotta e infi-

195

schiandosene dello stuolo di camerieri, cucinieri e inservienti assiepati dietro i paraventi e affacciati sulle porte del salone, si avventurò nel più lungo bacio che avesse mai ingaggiato nella sua irreprensibile esistenza, un bacio dolce, un deliquio della coscienza, uno smarrirsi lento e progressivo – inesorabile – e andarono avanti in un crescendo di voluttà del tutto simile alla musica improvvisata fino a pochi istanti prima da Nahui.

Quando le loro labbra si separarono – Eugenio avrebbe giurato che fosse trascorsa già l'intera nottata – lei lo fissò a occhi socchiusi, perversamente lucidi, accarezzandogli i capelli corvini, ondulati, passando le dita sulle sopracciglia folte, sulla guancia ruvida di barba rasata al mattino e già spuntata prepotente e aspra, e intanto ascoltava il battito del cuore che dall'uniforme impeccabile si trasmetteva al suo seno destro. Ebbe l'illusione di confonderne il ritmo con il proprio, come se i loro cuori pulsassero all'unisono. "Soffrirò," pensò. "Sarà più doloroso di tutte le altre volte. Mi farai male, perché è nella natura delle cose, di *queste* cose. Pagherò l'idillio di un momento con la disperazione dell'assenza, perché te ne andrai lontano, mi dimenticherai, e tutto mi sembrerà vano, umiliante, buttato via inutilmente, il ricordo di una nuova cicatrice oscurerà anche questo istante di abbandono e prenderà il sopravvento sui ricordi più belli... Ma non importa. Voglio innamorarmi di te come se dovesse durare per sempre."

26.

L'AMORE SUBLIME

"Non sappiamo quasi nulla di loro. E l'uomo non può accettare che vi sia una specie più evoluta della sua, nel Creato. Perché i delfini sono ciò che noi vorremmo essere, o meglio, ciò che le menti umane più sensibili aspirano a diventare: indipendenti e al tempo stesso capaci di vivere comunitariamente, solidali e senza capi né bisogno di leggi repressive, l'istinto coniugato all'intelligenza, la libertà intesa come rispetto reciproco e non come sfrenata ricerca di felicità effimera a discapito della felicità altrui... I delfini sono gli anarchici del mare, hanno raggiunto la perfezione nei rapporti fra loro e con l'ambiente circostante, in assoluta armonia, e noi, poveri uomini limitati e meschini, possiamo soltanto invidiarli, coscienti di non possedere la loro sapienza, che consiste nel provare gioia del vivere senza trionfo, senza la necessità di dominare gli altri."

Era un branco di delfini numeroso, che accompagnò il transatlantico per qualche miglio ingaggiando una corsa con la nave che pareva divertimento fine a se stesso.

Nahui, appoggiata al parapetto, guardava Eugenio che indicava la scena, i dorsi lucenti di quei formidabili nuotatori, le pinne che fendevano la superficie senza ferirla, come se i delfini sapessero penetrare la massa liquida lasciandola intatta. Gli occhi di lui, scuri e ardenti, brillavano come ossidiana, mentre in quelli di lei sembrava si fossero riversati l'acqua turchese del Caribe, la densità oleosa dell'Atlantico, il blu degli abissi. Nahui ascoltava Eugenio abbandonandosi alla sua voce suadente e sicura, priva d'impennate o cali di intensità come è il tono di chi ha un carattere forte e non deve sforzarsi di convincere nessuno. I racconti di Eugenio l'avvolgevano e la cullavano e, per la prima volta in vita sua, pensò di essere felice. Quanto poteva durare, tutto questo? Avrebbe dato qualunque cosa perché il tempo si fermasse in quell'istante.

All'improvviso, i delfini smisero di giocare e scomparvero alla vista.

Nahui lo seguì in tutte le crociere, trascorse mesi in mare e settimane nei principali porti dei Caraibi, della Spagna e della Francia, della costa atlantica degli Stati Uniti. E dipingeva, incessantemente. Ritratti e autoritratti. Lei e il capitano, sorridenti, abbracciati, nudi sul letto della cabina con i grattacieli di New York che invadevano l'oblò, allacciati in un ballo al chiaro di luna, uniti da un amore sublime che sulla tela assumeva espressioni di estasiata tenerezza, occhi sognanti, velati dal piacere, sulla nave o sulla terraferma, in saloni sontuosi o sotto tettoie di palme in riva al mare. La frenesia lasciava il posto al tempo dilatato della traversata, la ricerca ossessiva del piacere si acquietava nel rapporto con un uomo gentile, sensibile, dai modi pacati che denotavano una profonda forza d'animo, con il quale il sesso era giocoso, anche voluttuoso, ma non totalizzante e avvelenato da gelosie e schermaglie autolesioniste. Eugenio Agacino le infondeva sicurezza. Non la adorava. La rispettava per come era: vulnerabile, fragile e al tempo stesso volitiva, determinata a mantenere l'indipendenza di pittrice, musicista, scrittrice. Non fu una parentesi fugace, furono cinque anni appaganti, gioiosi, spensierati. E forse sarebbe durata molto di più, se il fato non avesse voluto altrimenti.

In quel periodo Nahui ottenne risultati notevoli in campo artistico. A San Sebastián, dove tornò con il cuore trafitto dalle immagini dell'esilio – e soprattutto dell'unico figlio che lì era nato e morto –, inaugurò una mostra dei suoi quadri e tenne un concerto di piano, riscuotendo in entrambi un grande successo. Poi il Messico riprese a tributarle onori inaspettati: Nahui si vide proporre una mostra nel prestigioso Hotel Regis della capitale, luogo di ritrovo cosmopolita in pieno centro storico dove espose ventidue dipinti a olio. Al vernissage, il 18 novembre 1934, partecipò un folto pubblico di visitatori e il principale quotidiano nazionale, "Excelsior", pubblicò un articolo dando grande risalto all'avvenimento:

La talentuosa pittrice, poetessa e compositrice musicale Nahui Olín ci ha mostrato una raccolta di recensioni sulla sua opera che ci ha lasciato alquanto perplessi. Perché in Messico non è stata finora presa nella giusta considerazione l'opera di questa artista multiforme ed eccezionale, che tanti elogi ha raccolto dalla critica straniera?

Dunque tutto andava per il meglio, in quella fine d'anno del 1934. Si avvicinava il Natale, che Nahui detestava. Giorni in cui inevitabilmente si tendeva a rievocare assenze, perdite, disillusioni, giorni intrisi di nostalgie e rimpianti. Quel Natale del 1934 avrebbe spezzato in due la sua vita, decretando l'inizio di un inesorabile declino, un punto di non ritorno nel cammino verso la lucida follia, la solitudine assoluta, il rifiuto di una realtà dalla quale non si sarebbe aspettata più nulla.

27

NAUFRAGIO

Scrutava il mare con occhi freddi e inespressivi rivolti a un vuoto che soltanto lei vedeva. Chi l'avesse osservata attentamente sarebbe rimasto impressionato dall'immobilità che poteva durare ore, e poi, all'improvviso, un sussulto, come una leggera scossa elettrica che la faceva fremere e subito dopo l'irrigidiva: aveva scorto una nave all'orizzonte.

Nella primavera del 1935 il poeta Germán List Arzubide si trovava a Veracruz. Arzubide era tra i fondatori del movimento estridentista, che negli anni venti aveva scosso la vita culturale della capitale messicana dando vita a un fenomeno artistico che era stato accostato al Dadaismo, al Futurismo russo e italiano, all'Ultraísmo spagnolo. A metà degli anni trenta l'Estridentismo era ormai entrato nella leggenda e Arzubide continuava l'impegno politico, per lui ancora indissolubile da quello artistico, viaggiando spesso in Europa sia per interessi letterari che per sostenere l'eterna causa degli oppressi. Sbarcato nel porto di Veracruz, stava assaporando il clima tropicale, felice di sentire sulla pelle quel sole caldo che scioglieva i muscoli rattrappiti dal freddo umido della costa atlantica francese. Inspirò l'odore di muffe speziate che emana il legno a quelle latitudini, "un aroma che sembra fatto apposta per evocare ricordi", pensava il poeta, "e che suscita nostalgia quando ne sei lontano da troppo tempo".

Arzubide passeggiava indolente sul Malecón, pensando a quanto Veracruz gli ricordasse L'Avana, quando notò una donna seduta su una panchina, che attirò la sua attenzione per il contrasto fra la bellezza del volto e lo stato di abbandono che emanava quella figura patetica: trasandata, i capelli scompigliati dalle folate di brezza, gli occhi arrossati dal pianto, le guance striate dal rimmel colato, le labbra imbrattate di rossetto debordato sugli angoli e sul mento, la postura da bambola di pezza afflosciata, tutto in lei trasmetteva angoscia e desolazione.

Arzubide rimase a osservarla, incredulo, senza decidersi ad avvicinarla: era certo che si trattasse di Nahui Olín. L'aveva conosciuta ai tempi della burrascosa passione con il Doctor Atl, si erano frequentati per un certo periodo e di lei conservava un ricordo di splendore fisico che non poteva essersi trasformato nell'immagine di quella povera derelitta. Eppure, non c'era dubbio. Gli bastò vedere i suoi occhi, quando lei lo squadrò indifferente, come se lo attraversasse senza metterlo a fuoco: quegli occhi unici al mondo erano di Nahui Olín. Ma cosa poteva esserle accaduto, quale sventura l'aveva ridotta in quello stato?

Arzubide si fece coraggio. Malgrado il tempo trascorso, Nahui doveva assolutamente ricordarsi di lui e, in nome della vecchia amicizia, lui si sentiva in obbligo di prestarle aiuto, quanto meno di chiederle se avesse bisogno di qualcosa; l'insopprimibile desiderio di sapere, in ogni modo, lo spinse a salutarla.

Sentendo pronunciare il proprio nome, Nahui ebbe uno scatto d'ira: lo fissò sgranando gli occhi, storse la bocca in una smorfia rabbiosa:

"Mi lasci in pace! Io non la conosco, se ne vada immediatamente e badi ai fatti suoi. Lasciatemi in pace tutti, maledizione, voglio stare da sola! Possibile che non ci sia un posto in questo stramaledetto mondo dove poter stare da sola...".

E si rannicchiò su se stessa, nascondendo il viso tra le mani, si piegò fino a toccare le ginocchia con la fronte, scossa dai singhiozzi.

Colto alla sprovvista, stordito e amareggiato, Germán si allontanò a passi lenti, incerti, voltandosi un paio di volte a sbirciare Nahui, perché era sicuro che fosse lei, come altrettanto sicuro era che lei lo avesse riconosciuto. I suoi occhi. In quei meravigliosi smeraldi iniettati di sangue e velati di lacrime, il poeta aveva visto un abisso di dolore, intenso e intollerabile dolore allo stato puro, inconsolabile, così acuto da costringerlo a indietreggiare, respinto inesorabilmente dall'impossibilità di trovare parole capaci di contenerlo.

Non c'è consolazione possibile. Non l'ho cercata, non l'ho voluta. Nel dolore sino in fondo, a capofitto, abbandonandomi alla sua forza di attrazione, aspettando che mi annullasse, sperando di raggiungere il fondo dove la sofferenza anestetizza, rende tutto vacuo, impalpabile, inconsistente... Ma è stato inutile. Il dolore reagiva per proprio conto e si aggrappava a un'immagine epica, eroica, un'immagine di generosità estrema, l'immagine di un uomo fiero quando risponde al richiamo dell'istinto atavico, l'istinto che ci piace pensare accomuni i maschi, l'istinto della morte affrontata senza rimpianti né tentennamenti... Un istinto peraltro raro, che se si manifesta in un uomo lascia una traccia indelebile nella memoria – e questa si incarica poi di ingigantirla –, mentre nessuno se ne accorge se lo stesso fa una donna, e lei per prima lo ignora, abituata al sacrificio, alle dosi quotidiane di dolore capaci di arginare il Grande Dolore quando si manifesterà come prezzo ineluttabile del vivere e consolazione effimera del morire... Eppure, non è così. Non è vero che la morte è sempre morte: c'è la morte che permette a chi rimane di aggrapparsi a un ricordo di cui andare orgogliosi, e c'è la morte che ti sbeffeggia e finisce per ridicolizzare persino il dolore, rendendo intollerabile l'idea del futuro prossimo, dell'indomani, dell'ora o del minuto successivi. Del mio Capitano, l'amore sublime e unico di questa perra *vida, ho detto e sempre dirò che è morto da eroe, granitico e*

severo nel suo rifiuto di abbandonare il ponte di comando fla-
gellato dalla tempesta, travolto infine dai flutti per troppo cuo-
re, per la generosità di non voler lasciare i naufraghi in balìa
dell'oceano infuriato... Che poi, se così fosse, dal mio punto di
vista – cioè il più importante dell'universo, perché è da questi
occhi che vedo il mondo e non il mondo che vede me – allora
il suo sarebbe stato un atto di scellerato egoismo: sacrificare la
propria vita significava sacrificare me, lasciarmi sola con il do-
lore immenso della sua assenza... Ma tutto questo è vano va-
gheggiare, perché il problema, come si suol dire, non si pone.
Perché Eugenio è morto per un piatto di ostriche avariate, di
fottute ostriche mezze putride...

Come fai a rassegnarti, come puoi accettare che sia stato un
destino ridicolo a toglierti il senso dei giorni e delle notti, un de-
stino che rende odiosa ogni alba e desolante ogni tramonto, che
ti infligge aculei di panico al pensiero del vuoto nel letto, nello
specchio dove lui non comparirà mai più alle tue spalle per ab-
bracciarti, e cammini senza meta con il fianco mutilato della sua
presenza, e lo cerchi nei volti degli sconosciuti, e affondi la faccia
nei suoi vestiti cercando di riesumarne l'odore, constatando sgo-
menta che con il trascorrere dei giorni svanisce, e presto non riu-
scirai più a rievocarlo con la sola memoria... Tanta assenza e tan-
to dolore, per un piatto di ostriche andate a male.

28.

"LA VITA È UNA TIRANNIA"

Fu Nahui a tramandare quella versione eroica sulla morte del capitano Eugenio Agacino. Per diversi anni nessuno osò dubitarne. Una tempesta improvvisa, la nave da crociera squassata dai marosi, il comandante che si rifiuta di abbandonare il ponte finché tutti i passeggeri non si sono messi in salvo... E che scompare tra i flutti, vittima del senso del dovere e del suo altruismo. Una fine consona a un uomo il cui carattere univa delicatezza, sensibilità e ferrea determinazione. Un lupo di mare generoso fino alle estreme conseguenze.

Ma non ci fu alcun naufragio, in quel Natale del 1934, sulla rotta L'Avana-Veracruz-New York. Eugenio Agacino era sceso con Nahui nel porto dell'Avana e avevano cenato in un rinomato ristorante della capitale cubana. Risalito a bordo, aveva accusato i primi sintomi di intossicazione: un piatto di ostriche avariate, che Nahui non aveva neppure assaggiato. Durante la traversata fino a Veracruz le condizioni del capitano erano rimaste stazionarie e lui non aveva rinunciato a comandare la nave. Ma ripresa la rotta per New York, la febbre era aumentata senza che il medico di bordo riuscisse a farla calare e il capitano era infine deceduto la notte di Natale.

Per mesi Nahui continuò a vagare sui moli del porto di Veracruz, avvicinandosi a ogni nave che gettava gli ormeggi, in uno stato di prostrazione e delirio, nella speranza di vedere il suo Eugenio affacciarsi dal ponte di comando e invitarla a salire a bordo.

Germán List Arzubide, tornato a Città del Messico, aveva parlato a diversi amici del triste incontro sul Malecón di Veracruz, di come si fosse ridotta la leggendaria Nahui Olín, pur senza sapere quale disgrazia fosse la causa di quello stato di prostrazione. Di lì a poco, altri partirono al *rescate* di Nahui: Carlos Pellicer e Víctor Reyes raggiunsero Veracruz, la cercarono fra i moli e non faticarono a trovarla, dato che tutti, scaricatori e pescatori, la conoscevano ormai come la Loca del Muelle, la pazza del molo. Con infinita pazienza vinsero le sue proteste, sopportarono gli insulti, le reazioni violente, finché, scivolata in uno stato catatonico, Nahui si lasciò caricare sulla corriera per Città del Messico e riaccompagnare in calle General Cano, dove aveva ereditato un'ala della casa paterna. Sulla soglia, i due scrittori le infilarono una manciata di banconote nella tasca del vestito sporco e lacero, le raccomandarono di andarsene a riposare e la lasciarono così, sola e silenziosa, conservando il ricordo di un ultimo sguardo indecifrabile, senza capire se in quegli occhi che sembravano contenere l'intero Oceano Atlantico con tutte le sue tormente vi fosse riconoscenza o ripulsa. Forse, entrambe le cose: riconoscenza per il gesto di amicizia, ripulsa per averla costretta a rientrare nella tirannia della vita.

In una delle poesie giovanili pubblicate nella raccolta *Câlinement, Je suis dedans*, Nahui aveva scritto:

> *La vita è una tirannia*
> *che impone spaventosi tormenti*
> *e a ogni momento*
> *rinasce la speranza*
> *e quindi una nuova sofferenza.*

La vita è una bugiarda
che ride delle nostre ambizioni.
La vita culla e sgretola
le illusioni.

E in un'altra:

Voglio morire
è necessario scomparire
quando non si è fatti per vivere
quando non si riesce a respirare
né a dispiegare le ali.

Con le ali mutilate e il cuore rattrappito, Nahui Olín vagava senza meta per le strade del centro storico, fra Tacubaya e l'Alameda. Un giorno Manuel Rodríguez Lozano si trovava a un tavolino del Sanborns di Lafragua, intento a rispondere alle domande della critica d'arte Berta Taracena che lo intervistava, quando la vide passare di là dalla vetrata. Rimase in silenzio annuendo tra sé, poi mormorò:
"Guarda com'è ridotta. Mi fa piacere constatare che sia più rovinata di me".

Quell'acredine rancorosa non avrebbe portato fortuna al pittore, che nel 1941 si sarebbe ridotto ben peggio di lei: accusato di aver trafugato dalla Escuela Nacional de Bellas Artes quattro opere di enorme valore – tre incisioni di Dürer e una di Guido Reni – fu arrestato e trascorse quasi cinque mesi nel famigerato carcere di Lecumberri. Qualche tempo dopo venne riconosciuto innocente, ma intanto le dure condizioni di prigionia ne avevano sgretolato il carattere già incline agli stati depressivi. Di contro, al chiuso di quella cella Rodríguez Lozano realizzò la migliore delle sue opere, lo struggente dipinto *La piedad en el desierto*, che per ironia della sorte – o come parziale riparazione dei posteri – oggi è esposta proprio nel palazzo di Bellas Artes, la stessa istituzione che a suo tempo lo aveva accusato di essere un volgare ladro di opere d'arte.

Anche Gerardo Murillo la incontrò in quel periodo, sull'avenida San Juan de Letrán, e rimase colpito dal suo aspetto trasandato, ma a differenza dell'ex marito – che aveva mostrato di meritare davvero l'epiteto di "pover'uomo" coniato per lui dal Doctor Atl – non provò né senso di rivalsa, né meschina soddisfazione. E neppure indulse alla pietà, anzi, si infuriò nel vederla gettar via il proprio talento, e le scrisse una lunga lettera, nella quale fra l'altro diceva:

"A mio avviso dovresti trovarti immediatamente un manager sufficientemente abile per organizzare un concerto e una mostra. Rifletti, qui in Messico la gente è molto colta in materia di musica e abbastanza per quel che riguarda la pittura, dunque può apprezzare ciò che tu componi e dipingi: hai concrete possibilità di vendere quadri e anche di farteli acquistare dalle istituzioni a un buon prezzo. Inoltre, l'edizione delle tue composizioni musicali potrebbe portarti denaro, oltre che fama".

A quei tempi il Doctor Atl viveva in uno stato di delirio ben peggiore della catatonica prostrazione di Nahui. Convintosi che Adolf Hitler stesse realizzando qualcosa di grandioso – e per di più accecato da un antisemitismo furibondo e pertanto entusiasmato dalla campagna dei nazisti contro gli ebrei –, si recava all'ambasciata tedesca a fornire "informazioni riservate", atteggiandosi a spia dei servizi segreti: nel frattempo otteneva sovvenzioni per stampare opuscoli di propaganda filonazista e alcuni suoi scritti venivano pubblicati sulla rivista specializzata berlinese "Zeitschrift für Vulkanologie".

La Cancelleria del Terzo Reich, puntualmente informata delle sue visite, lo considerava un eccentrico simpatizzante da tener buono perché non commettesse imprudenze che potessero coinvolgere la Germania nazista in un incidente diplomatico: il Messico era pur sempre uno dei grandi produttori di petrolio, degno quindi di rispettosa considerazione.

Prima di abbandonarsi definitivamente alla solitudine e rassegnarsi a una vecchiaia precoce, nel 1937 Nahui pubblicò un libro dal titolo *Energía cósmica*, raccogliendo brani poetici e testi di carattere pseudoscientifico: questi ultimi lasciarono stupefatti i pochi critici che si presero la briga di darne notizia. Nahui vi avanzava ardite considerazioni sulla radioattività – anticipando l'avvento della bomba atomica, intuizione della quale nessuno seppe cogliere la portata e che venne semplicemente ignorata –, sulla materia e sulla concezione spaziotemporale, fino a lanciarsi in una critica alla teoria della relatività di Einstein che, seppur opinabile, era sorprendentemente solida in quanto a terminologia e argomentazioni. Nel capitolo *Rapporto di continuità fra la vita e la morte* descriveva alcuni tentativi di raggiungere il "deliquio" restando in morte apparente per qualche ora, e il conseguente estraniamento e "sonnambulismo" nel tornare alla cruda realtà della vita con il rimpianto per quel "millesimo di secondo" in cui la morte era parsa un "sommo godimento", soluzione dello scontro fra "sofferenza e piacere" nell'istante del trapasso.

Allo scoppio della Seconda guerra mondiale Nahui parve rianimarsi, come se la tragedia le avesse dato una sferzata di vitalità. L'invasione della Francia la colpiva nei pochi affetti rimasti: il fratello Samuel viveva a Nantes con moglie e figli e Nahui si prodigò per vendere quadri e spedirgli il ricavato attraverso la Croce Rossa. In quei giorni tornati improvvisamente frenetici, uscendo dal palazzo delle poste centrali, di fianco a Bellas Artes e all'Alameda, fece un incontro che la lasciò frastornata.

Le due donne si ritrovarono di fronte, sulla porta a vetri,

vicinissime, e per qualche istante rimasero indecise su come evitarsi, sul lato da cui spostarsi per cedere il passo. E intanto si scambiarono un'occhiata. Entrambe ebbero la sensazione che nella memoria si scatenasse un vortice di immagini remote, legate a un'esistenza dimenticata, rimossa.

Tina Modotti sobbalzò, come se fosse stata scoperta, come se il timore che l'altra pronunciasse il suo nome le provocasse un'istintiva reazione di fuga. Rientrata in Messico dopo i cupi anni nella Mosca staliniana e la disastrosa esperienza nella Guerra di Spagna, Tina non voleva rivedere nessuna delle persone conosciute in un'epoca ormai sepolta sotto una coltre di penosi ricordi ed evitava qualsiasi contatto, comportandosi quasi da clandestina. Provò a distogliere lo sguardo, poi, colta da un moto di curiosità, tornò a fissare negli occhi la donna dai capelli biondi stopposi, i vestiti consunti, il trucco eccessivo, l'aria di chi ha perso tutto dopo aver posseduto molto. Gli occhi: inconfondibili, unici al mondo. Aprì la bocca senza emettere suono, incredula, rifiutandosi di accettare che fosse proprio lei.

Si ricordava di Nahui, certo che si ricordava, e sembrò come flagellata da una ventata di vita a brandelli, frammenti di notti appassionate, feste gioiose, giornate intense, amori travolgenti, anni luminosi, quando tutto sembrava possibile e a portata di mano, quando si sapeva da che parte schierarsi, quando ci si illudeva che il nemico stesse di fronte e non di fianco o alle spalle... Gli occhi le brillarono di commozione. Provò una fitta dolorosa al petto: era il senso di commiserazione per entrambe. Per come si erano ridotte le due donne più desiderabili della Città del Messico degli anni venti. Quella città che era tornata ad accoglierle ma dove si sentivano irrimediabilmente estranee.

Nahui pensò: "Sì, lo so. Il tempo si è comportato male, con me. E la vita è stata vigliacca, neanche puoi immaginare quanto".

Tina notò che l'altra scuoteva leggermente la testa, e pensò a sua volta: "Sì, anch'io ho uno specchio, in quella topaia dove vivo adesso...".

Se Nahui aveva qualcosa di grottesco nella bellezza sfiorita ma non del tutto svanita, Tina sembrava invecchiata di mezzo secolo. Continuarono a guardarsi senza trovare le parole. Non c'era niente da dirsi, in fondo. Nessuna delle due chiese all'altra cosa facesse, dove abitasse, come incontrarsi ancora in futuro. Non c'era più, un futuro. Scivolarono una di fianco all'altra, in silenzio, consce di non volersi rivedere, e si allontanarono in direzioni opposte senza voltarsi indietro.

Nahui tentò di seguire i consigli di Gerardo, ma senza alcun risultato. Il pianoforte rimase una passione discontinua, nessun manager si prese l'incarico di organizzarle concerti e la pittura continuò a essere la sua attività principale, benché non riuscisse a vendere quadri a prezzi dignitosi: finiva per darli a chiunque le fornisse di che mangiare per un paio di giorni. Solo nel 1945 venne invitata a una mostra collettiva – e sarebbe stata l'ultima – nel sontuoso Palacio de Bellas Artes, assieme ad alcuni tra i pittori più celebri dell'epoca, come José Clemente Orozco, Pablo O'Higgins, Germán Cueto, Gustavo Montoya.

Poi, per sopravvivere, trovò un lavoro rispettabile ma scarsamente remunerato: insegnante di disegno e pittura nelle scuole medie inferiori. Si presentava in classe puntuale, ci metteva tutto l'impegno necessario, si sforzava di avere pazienza e costanza, però... il rapporto con i ragazzi era difficile, molto difficile. Non riusciva a guadagnarsi la loro attenzione, i più discoli si facevano beffe di lei e anche i più volenterosi la consideravano un personaggio strampalato, una sorta di matta bonaria e priva di autorità. Il magro salario non le bastava a condurre una vita decente e lei era totalmente incapace di risparmiare, di amministrarsi; ogni quindici giorni, appena ritirato lo stipendio, andava in un ristorante spagnolo e mangiava fino a non poterne più: il poco che avanzava dal conto astronomico lo spendeva per sfamare i tanti gatti che proliferavano nella grande casa di calle General Cano e anche quelli randagi dell'Alameda. Poi, per due settimane, doveva accontentarsi delle briciole, degli spiccioli dimenticati nelle tasche degli innumerevoli vestiti fuori moda, vecchi ma rigorosamente puliti e stirati. Quando i morsi della fame diventavano insopportabili, si umiliava a fare la fila alla mensa dei poveri, al Dispensario Público de Salubridad, dove otteneva un piatto di zuppa calda insieme ai mendicanti del centro storico. E se vendeva un quadro tornava subito al ristorante, destinava una parte del ricavato all'acquisto di colori a buon mercato e quindi rimpinzava i gatti. Unico svago, il cinema: il biglietto costava poco e Nahui, sola e dimessa, trascorreva spesso i pomeriggi al Metropolitan o all'Arcadia, o meglio ancora al Del Prado, dove ogni tanto proiettavano film francesi.

L'ultima volta che venne notata in pubblico fu alla prima teatrale di alcune opere brevi dal titolo *Las Sonámbulas* e *Siete yoes*. Nahui attirò l'attenzione perché borbottò improperi per l'intera durata della rappresentazione, commentando a bassa voce ogni scena, visibilmente infastidita. Al termine, spentasi l'eco degli applausi, sbottò:

"Ho sempre saputo che gli uomini si nascondono dietro una maschera. Se gliela strappi, dietro c'è il vuoto. Siete tutti una lurida accozzaglia di nullità. Ma perché non vi suicidate? Sarà meglio che me ne vada a dormire: domattina presto devo far sorgere il sole".

La scrittrice e drammaturga Adela Fernández un giorno la vide nei giardini dell'Alameda, abbandonata su una panchina, gli occhi colmi di lacrime: stringeva fra le braccia un gatto morto e sembrava non accorgersi neppure di chi la stava chiamando per nome, inutilmente.

Infine Nahui lasciò l'insegnamento, arrendendosi all'evidenza della sua totale estraneità a quel mestiere, e anche alla realtà che la circondava. L'Instituto Nacional de Bellas Artes decise di versarle la cifra dello stipendio come una sorta di vitalizio, una borsa di studio che solitamente veniva assegnata agli artisti giovani e promettenti. In cambio, Bellas Artes riceveva un certo numero di quadri all'anno, ma nessun dipinto di Nahui Olín compare fra le innumerevoli opere catalogate in quel periodo. Forse non ne consegnò mai neppure uno, benché l'istituto continuasse a versarle regolarmente la somma pattuita.

Malgré tout, Nahui non cedette mai alla tentazione di vendere i beni di famiglia. Non certo la casa, unica risorsa per non finire in strada a morire di stenti, ma i gioielli ereditati o ricevuti in regalo negli anni del suo "splendore". Tra questi, possedeva un oggetto di immenso valore, che da solo le avrebbe garantito anni di vita dignitosa: un cofanetto d'oro massiccio tempestato di pietre preziose, dono dello scià di Persia al generale Mondragón durante una delle sue missioni all'estero come rappresentante dell'industria bellica nazionale. Diversi anni dopo qualcuno si introdusse nella casa di Nahui mentre lei era andata come al solito a sfamare i gatti dell'Alameda e rubò quasi tutto. Del cofanetto si persero le tracce e non si seppe mai se fosse stato trafugato in quell'occasione. Comunque, da allora Nahui prese l'abitudine di gettare un secchio d'acqua su chiunque si avvicinasse alla porta. I ragazzini la prendevano a sassate quando la vedevano per la strada. La Loca, La Bruja, El Fantasma del Correo... Dopo aver alimentato tante leggende sulla sua presunta ninfomania, ora le restava soltanto la rozza malevolenza degli sprovveduti, al "pubblico ludibrio" che aveva riempito di veleno le penne dei gazzettieri subentrava l'occasionale disprezzo di qualche insolente. Molti però, nel quartiere di Tacubaya o nella zona fra l'Alameda e Bellas Artes, la trattavano con affetto, benché lei rifiutasse qualsiasi offerta di aiuto. Persa la speranza di mantenersi con i dipinti, vendeva copie delle fotografie di Garduño e nessuno degli sporadici acquirenti si rendeva conto che quel magnifico corpo nudo era appartenuto a lei.

Eppure, la sua mente restava lucida, anche se pochissimi avrebbero potuto testimoniarlo: chiunque la vedesse e scambiasse qualche parola con lei serbava l'immagine di "una vecchia convinta di far sorgere il sole", così svampita da rischiare di accecarsi a furia di fissarlo. Tra quei pochissimi c'era il libraio Tomás Doreste. Nahui aveva preso l'abitudine di recarsi nella Libreria Juárez, dove si intratteneva per ore con Doreste avventurandosi in lunghe dissertazioni sulla poesia e la letteratura. "La sua conversazione era brillante," avrebbe raccontato qualche tempo dopo Doreste ad Adela Fernández. "Era capace di infervorarsi discutendo di autori che amava, soprattutto di Cesare Pavese, che in quegli anni la appassionava in modo particolare. Non so perché si dicesse in giro che era pazza: con me chiacchierava per ore con acuta lucidità, era chiara, precisa, e il suo linguaggio possedeva una grande forza."

29

"DOMANI IL SOLE DOVRÀ CAMMINARE DA SOLO"

Per almeno trent'anni Nahui visse così, nel silenzio e nell'oblio. Solo nell'ultimo periodo della sua vita ebbe il conforto di una presenza familiare, quella della nipote Beatríz, figlia adolescente del fratello Benjamín, che ogni settimana andava a trovarla, affascinata dall'eccentricità della zia. Qualche sprazzo di attenzione passeggera l'otteneva quando un poeta o un artista più giovane scopriva chi fosse e, ricordando chi era stata, spinto dalla curiosità – e spesso con il cuore oppresso dalla pena – la seguiva fino in calle General Cano: qualche volta Nahui invitava questi sconosciuti a visitare quella dimora perennemente in penombra, lugubre, dove i gatti vivi si confondevano con quelli imbalsamati, intrisa di memorie malsane, e loro restavano sbalorditi davanti ai prodigi di Nahui, capace per esempio di far scaturire una tenue luminescenza da qualsiasi lampadina che stringesse per qualche minuto tra le mani. Grande sgomento suscitava immancabilmente il lenzuolo su cui aveva dipinto il capitano Eugenio Agacino a grandezza naturale, per avvolgersi ogni notte nell'abbraccio di uno spettro.

Se ne stava così, sul letto con il suo Capitano, anche il 23 gennaio 1978. Nahui si era rotta una clavicola per una banale caduta. In quei giorni di immobilità pensava di aver concesso troppo tempo al tempo. Il sole sorse senza che lei uscisse ad accompagnarlo nel suo quotidiano *paseo* fino al tramonto. Un raggio di luce le ferì gli occhi. Era rimasta sveglia tutta la notte in attesa dell'alba. Ora, poteva finalmente riposarsi. Il sole avrebbe continuato il suo cammino da solo.

Ho questa frase nella memoria, ma non ricordo dove l'abbia mai letta... "Siamo le milizie del vento nelle sabbie dell'esilio." Ripensando alla mia vita, ho la sensazione di essere stata sabbia trasportata dal vento, anche se in ogni situazione mi sono illusa di cavalcare il destino, di imprimergli la direzione, di poterlo piegare alla mia volontà... Un'illusione, ora lo so. Ho agito d'istinto, sì, ma non è forse la stessa cosa che lasciarsi andare al destino? Chissà.

Esilio. Ecco come definirei questi tanti, troppi anni di attesa. In esilio si vive sospesi. Non c'è un termine alla condanna, un giorno, un mese e un anno stabiliti, solo un'interminabile attesa che qualcosa cambi, nella consapevolezza che non ritroverai nulla come lo ricordavi. Ho aspettato senza sapere cosa. Tempo che scorreva nell'esilio da me stessa, assistendo al lento appassire di questo corpo ormai irriconoscibile. Tempo speso nella memoria, mai nel presente. Tempo dedicato agli assenti. Ai morti. Sono tutti morti, "milizie del vento nelle sabbie dell'esilio", l'esilio estremo, e io, sopravvissuta malgré tout, non ho avuto la fortuna di spegnermi quando ancora brillavo di luce pura.

Ho conosciuto tanti paesi, ho spesso vissuto lontano dalla mia terra, e ogni volta ho avuto la conferma che altrove sono pieni di cadaveri ma non c'è il senso della morte... Gli altri sono circondati di morte ma non accettano che essa sia presente *in ogni istante della vita, si nutrono di morte ma la rifiutano come idea, come condanna del nascere e del vivere, come ineluttabile fine di qualsiasi cosa facciamo...* Tutto *ha fine, ma noi messicani ne siamo più coscienti, ecco perché viviamo con maggiore intensità: mentre gli altri sopravvivono nella paura di morire, noi assaporiamo il dono di un giorno, di un istante, e* mañana *non esiste, qui e adesso è la vita,* mañana quien sabe. *Dicono che siamo innamorati della morte, ma non è vero: la rispettiamo, e il rispetto fa parte dell'amore... ma non lo esaurisce. Per noi il passato non passa finché la memoria non si spegne, per noi la vita nasce dalla morte perché il frutto deve cadere e il seme disseccarsi, se vuole poi germogliare, dunque la morte dà la vita. Noi non ridiamo della morte: noi ridiamo con la morte.* Malgré la mort. A pesar de la muerte.

Non ho rimpianti. Non farei altro che ciò che ho fatto. E amerei gli stessi cabrones *che ho amato, perché finché è durato l'amore non ho avuto il tempo di chiedermi come si sarebbero comportati un domani. E amerei gli stessi* caballeros, *perché per quanto effimera sia stata l'emozione e per quanto crudele il distacco, la morte che me li ha tolti non mi ha strappato di certo il ricordo, né ha potuto annullare il vissuto.*

Perché l'amore che ho vissuto non me lo può togliere nessuno, neppure tu, Pelona, La Gran Calavera Sonriente, *elegante* catrina *scarnificata che ti presenti agghindata come se stessi per portarmi a una festa da ballo, l'ultimo giro di* danzón, *tu che stai raggelando le mie gambe, queste gambe un tempo splendide, tu che stai rallentando il mio cuore, questo cuore un tempo ardente, tu che stendi un velo opaco sui miei occhi, questi occhi che hanno sfidato i pittori a trovare l'alchimia che mescolasse la luce ai colori, tu che mi aliti sulla bocca, questa bocca che ha baciato e divorato la vita senza risparmio, senza freni, senza timore degli sguardi altrui...*

Non sei tu che mi porti via, Pelona. *Sono io che mi abbandono fra le tue braccia leggere, e mai abbraccio mi è sembrato più delicato... Io, che ho offerto questo corpo agli abbracci di tanti senza che nessuno potesse trattenerlo.*

Sento la stanchezza che svanisce, sento la serenità che non ho mai provato né anelato. Ahora sí, Pelona: *il sole è alto in cielo e io non ho più voglia di fissarlo, di sentire il peso di doverlo accompagnare nel suo cammino...*

Mañana, el sol tendrá que caminar solo.

Scritta su un muro della Merced fotografato
da Edward Weston nel 1923

Mi sono terrorizzata dal tanto pensare e non ho potuto impedirlo – allora mi sono vista con un dominio mai conquistato prima... Amore – hai colmato alcune ore – amore, le ore della vita – gioventù.
Dolore – soltanto tu resterai con la mia vita finché non rimarrà che il mio cadavere.

Nahui Olín

Doctor Atl, *Ritratto di Nahui*

Testimonianze

"Se si tratta di donne pensanti che esprimono la propria sessualità in modo libero, vengono automaticamente considerate pazze o puttane. Nell'uomo, invece, questa peculiarità è considerata segno di virilità. E le avventure di Atl con altre donne vengono lette in quest'ottica. Nahui andò controcorrente, rappresenta la lotta della donna in un'epoca di repressione sessuale che non è ancora tramontata. Può anche aver fatto cose tremende, certo – il suo era un temperamento esplosivo –, ma trovò il proprio mezzo espressivo nella poesia e nella pittura, ottenendo notevoli risultati. Di fatto ha sempre vissuto, fino all'ultimo dei suoi giorni, in maniera coerente con le proprie idee. E non è mai tornata indietro a metà del guado. Ha preferito morire sola piuttosto che adeguarsi al mondo degli altri. E senza Diego, senza Weston e senza Atl, donne come Frida, Tina e Nahui avrebbero fatto comunque ciò che hanno fatto, perché hanno preso in mano le redini della propria vita senza chiedere il permesso a nessuno."

YAMINA DEL REAL, *attrice*

"Si è dovuto aspettare la rivoluzione sessuale e gli anni settanta perché comparissero a caratteri cubitali gli stessi termini che mezzo secolo prima Nahui Olín usava a profusione nei suoi scritti e perché cadesse l'ultimo tabù del nudo: il *vello púbico* che Carmen Mondragón mostrava fin dal 1927 nelle foto di Antonio Garduño."

JOSÉ EMILIO PACHECO, scrittore

"Tutta l'opera di Nahui Olín è dispersa in collezioni private, solo di recente abbiamo cominciato a catalogarla. Non è una pittrice eccelsa, ma occorrerà studiarla con il dovuto impegno, considerandola parte integrante del rinascimento che la cultura messicana visse negli anni venti. Possiamo ascriverla nella pittura cosiddetta naïf, innocente, non accademica, ma le sue soluzioni plastiche si elevano ben al di là di tale genere, Nahui supera questi orizzonti. Il suo uso del colore, specie in alcuni quadri, è veramente audace. La sua pittura è una biografia permanente, perché a parte gli elementi quotidiani che contiene e la rivalutazione dell'indigenismo, la maggioranza dei suoi quadri è una rappresentazione di se stessa e del proprio vissuto, un eterno autoritratto che scaturisce dal bisogno intimo e profondo di affermare valori che la società non riconosce come tali."

TOMÁS ZURIÁN, storico dell'arte

"Ho conosciuto Nahui nel suo migliore e al tempo stesso peggiore periodo. All'epoca del muralismo. Era bellissima, con quei tremendi occhi verdi, molto intensi. Già allora Nahui era molto di più che una modella o una musa. Come lei, c'erano altre donne coraggiose, disinibite, a volte persino aggressive... Io non l'ho mai ritratta, ma ricordo che lo fece Weston, realizzando alcune fotografie che ci permettono di apprezzare lo stile da lui acquisito in Messico."

MANUEL ALVAREZ BRAVO, maestro della fotografia

"Era una donna dotata di grande talento, geniale... Poetessa, pittrice notevole e di smisurata immaginazione: basti pensare che scrisse alcune singolari poesie profetiche sulla bomba atomica e i viaggi spaziali molto prima che l'una e gli altri divenissero realtà. Nahui era di quelle persone, come Frida Kahlo, che non sanno bene chi siano, che non ritrovano se stesse e si autoritraggono per cercare la propria identità. Una cosa è certa: Nahui ha vissuto come ha voluto, senza risparmiarsi nulla. Era mia amica, sì, ma... mi faceva un po' paura. Innanzitutto per il suo fisico, e poi quei tremendi occhi, quello sguardo... Era una donna fuori dalla norma, da qualsiasi norma, e di una bellezza spettacolare. Nahui, Frida, Tina, Antonieta, Nellie... con loro inizia l'èra della donna moderna. Loro sono le prime a liberarsi, e non sto parlando della liberazione intesa come possibilità di diventare dirigenti o presidenti, mi riferisco alla vera libertà, quella del comportamento quotidiano, della lotta contro i pregiudizi, le tradizioni. Non si può prescindere da Nahui per comprendere un'importante tappa del Messico nel cammino verso il progresso."

ANDRÉS HENESTROSA, *scrittore*

"Quel periodo appassionante è stato oggetto di diversi studi incentrati su eventi particolari o su alcune figure predominanti. Nonostante la ricchezza culturale, tuttavia, episodi e persone che svolsero ruoli di primo piano rimangono ancora sconosciuti al grande pubblico. È il caso di Nahui Olín, personaggio caratterizzato da una forte valenza drammatica, artistica ed esistenziale, e al tempo stesso dalla mancanza di informazioni veritiere e dalla sovrabbondanza di voci che circolavano su di lei all'epoca. Se non altro, basterebbe citare il suo ruolo di musa, compagna e amica di alcuni fra gli uomini più brillanti di quel Messico profondamente vitale e produttivo che sorse dalla rivoluzione e che ancor oggi continua ad affascinarci. Ma oltre a ciò, Nahui fu poetessa e pittrice, arrivando a sviluppare un'opera discontinua, a tratti emozionante, comunque sempre rivelatrice della sua personalità. La donna che frequentò gli ambienti intellettuali e artistici di una delle epoche più significative della cultura contemporanea, che sfidò la società dalla quale proveniva con la sua condotta libera, che suscitò scandalo mettendo in discussione la morale imperante, morì nell'oblio assoluto ed è stata dimenticata per tanti anni, a differenza di altre che, come lei, condivisero quella stagione e furono le creatrici di se stesse."

RAFAEL TOVAR, *presidente del Consejo Nacional para la Cultura y las Artes*

"Occorrerà indagare a fondo su Nahui Olín e sul suo tempo, considerandola non solo come la modella e musa ispiratrice dei grandi maestri della pittura messicana: tanti altri capitoli sconosciuti della sua vita meriterebbero di essere studiati. Il suo pensiero è nei suoi libri, l'essenza del suo essere è nelle fotografie, nei suoi dipinti e disegni, e la sua ribellione è nel suo nome: Nahui Olín."

BLANCA GARDUÑO, *storica dell'arte*

"Le capacità creative di Nahui Olín, che si espressero sia nella letteratura sia nelle arti plastiche, furono essenzialmente ribelli, eterodosse e iconoclaste, irritarono i benpensanti dell'epoca; ma al di là dei facili giudizi e moralismi di chi la considerò vittima della follia, il suo talento è evidente. Nahui, con Diego Rivera, Tina Modotti, Xavier Guerrero, Edward Weston e lo stesso Rodríguez Lozano, crearono un ponte fra le espressioni più autentiche delle tradizioni messicane, la nascente cultura popolare urbana e la cultura universale, apportando la ricchezza di un peculiare sviluppo intellettuale e artistico che richiamò l'attenzione del mondo intero."

GERARDO ESTRADA RODRÍGUEZ, *direttore dell'Instituto Nacional de Bellas Artes*

"Pochi sanno che è anche compositrice, perché a pochissimi concede l'incanto di sedersi per qualche minuto al piano. Nahui suona i propri brani e forse non ha approfondite conoscenze tecniche, però sa riversare in accordi musicali i sentimenti del suo animo e, mentre le mani accarezzano la tastiera del pianoforte a coda, a volte crea melodie che cullano i sensi e fanno pensare a cose infinitamente spirituali. Poi la sua musica spalanca all'improvviso voragini di suoni che sembrano rievocare il vento sulle montagne o la furia di una tempesta."

LEONOR GUTIÉRREZ (*dalla prefazione al libro di Nahui Olín* Energía cósmica)

"La prima volta che l'ho vista, mia zia Nahui – e non Carmen, perché a quel nome si rifiutava di rispondere – era ormai anziana, i capelli tinti di un assurdo color arancio, le labbra rosso fuoco e gli occhi bistrati di nero. Ero impressionata dai suoi occhi. Quell'azzurro violaceo così strano! Era piuttosto grassoccia, amava mangiare e si vestiva in maniera talmente eccentrica, che ne ero affascinata. Mi piaceva starla ad ascoltare, aveva una personalità carismatica, un carattere forte. Di lei dicevano che fosse una donna dei tempi moderni, io invece penso che sia stata troppo avanti, al punto che anche adesso sarebbe incompresa. Lei diceva: 'Il mio spirito è stato troppo vasto per questo povero mondo'. La sua casa, all'inizio, mi faceva un po' paura. Odorava di vecchio, aveva

229

un'atmosfera funerea, i soffitti altissimi, e quel ritratto di sua madre, che mi dava il panico solo a guardarlo... E faceva un gran freddo. Non aveva il frigorifero, diceva: 'Che me ne faccio? Casa mia è una ghiacciaia'.

"Quando andavamo insieme da qualche parte, tutti si voltavano a guardarla. Aveva uno sguardo così penetrante che certe volte i bambini scoppiavano a piangere. Ma io ero orgogliosa di starle a fianco. Lei era così: o la odiavano o la adoravano, senza mezze misure. E soprattutto, aveva un senso dell'umorismo mordace, caustico, un'ironia straordinaria."

BEATRÍZ PESADO, *nipote di Nahui Olín*

Un vero e proprio romanzo per immagini, che ripercorre attraverso documenti famigliari, fotografie e opere pittoriche la vita di Carmen Mondragón, è presente su www.feltrinelli.it

Nota dell'Autore

Ogni libro deve molto ad altri libri. In questo caso posso citarne senz'altro alcuni che mi sono stati utili per ricreare l'ambiente dell'epoca e approfondire la conoscenza di vari protagonisti:

ENRIQUE ALONSO, *María Conesa*, Ediciones Océano, México DF 1987.

DOCTOR ATL (GERARDO MURILLO), *Gentes profanas en el convento*, Ediciones Botas, México DF 1950.

BLANCA GARDUÑO, TOMÁS ZURIÁN, *Nahui Olín, una mujer de los tiempos modernos*, Museo Diego Rivera – Instituto Nacional de Bellas Artes – Consejo Nacional para la Cultura y las Artes, catalogo della mostra, México DF 1992.

ADRIANA MALVIDO, *Nahui Olín, la mujer del sol*, Editorial Diana, México DF 1993.

IRENE MATTHEWS, *Nellie Campobello, la Centaura del Norte*, Ediciones Cal y Arena, México DF 1997.

NAHUI OLÍN, *Óptica cerebral, poemas dinámicos*, Ediciones México Moderno, México DF 1922.

ID., *Câlinement, Je suis dedans*, Librería Guillot, México DF 1923.

ID., *À dix ans sur mon pupitre*, Editorial Cultura, México DF 1924.

ID., *Energía cósmica*, Ediciones Botas, México DF 1937.

ELENA PONIATOWSKA, *Bailes y balas. Ciudad de México 1921-1931*, Archivo General de la Nación, México DF 1992.

ALMA LILIA ROURA, *Dr. Atl, paisaje de hielo y fuego*, Ed. Circolo de Arte, México DF 1999.

LUIS MARIO SCHNEIDER, *Obras completas de Antonieta Rivas Mercato*, Secretaría de Educación Pública, México DF 1987.

EDWARD WESTON, *The daybooks of Edward Weston*, Aperture Foundation Inc., New York 1961.

BERTRAM D. WOLFE, *La fabulosa vida de Diego Rivera*, Editorial Diana, México DF 1986.

BEATRÍZ ZAMORANO NAVARRO, *Manuel Rodríguez Lozano o la revelación ideal de Narciso*, Ed. Teoría y Práctica del Arte, México DF 2002.

Ringraziamenti

Grazie a...

Gloria, compagna di tante *travesías y travesuras*, di comune sentire e sentieri in comune, che diversi anni fa, vedendo alcune foto di Nahui a Città del Messico, mi disse: "Ecco, questa è una storia che varrebbe la pena raccontare". E che ha avuto la costanza di ricordarmelo spesso, raccogliendo i primi materiali con cui rievocare un magnifico fantasma.

Ernesto Piquero Tomasini, amico fraterno, prezioso consigliere sull'infinita ricchezza dell'*idioma mexicano* – lo spagnolo più vivace e creativo dei tanti parlati nel mondo –, per gli innumerevoli dettagli sul linguaggio popolare sul quale mi fornisce divertenti lezioni; e in questo caso specifico, nella doppia funzione di profondo conoscitore del francese, come fu il caso di Nahui che scriveva in entrambe le lingue.

Anna Maria Satta, che ha scelto Città del Messico per vivere e lavorare e che dall'Universidad Nacional Autónoma de México mi fa da consulente privilegiata; e alla sua amica Pilar Estrada Lozano, che ha scovato nella propria biblioteca una copia ormai rarissima di *Gentes profanas en el convento*, del Doctor Atl, stampata cinque anni prima che io nascessi.

233

Adriana Malvido, biografa di Nahui, che mi ha generosamente fornito, passo dopo passo, le indicazioni per rintracciare e visitare i luoghi qui descritti, dove ho potuto "respirare" l'aria dei fantasmi – uno magnifico, qualcuno schivo, qualcun altro *cabrón* – che sicuramente vi risiedono.

Antonio Sarabia, che, fedele al motto "*aquí no se rinde nadie*", ha battuto palmo a palmo le librerie messicane del nuovo e dell'usato – le antiquarie, persino – e non si è arreso finché, nell'ultima di una serie estenuante, ha trovato testi preziosi per documentarmi su quegli anni inenarrabili che ho avuto la pretesa di narrare.

Infine, grazie a Ludovico Einaudi, la cui musica mi accompagna spesso nella scrittura. E dalle rare descrizioni di chi ha ascoltato Nahui al piano, ho creduto che alcuni brani di Ludovico Einaudi potessero ricordarmela.

INDICE

Stampa Grafica Sipiel
Milano, ottobre 2005